KB104009

百濟

동아시아 대왕 근초고

윤영용

East Asian Great King

Geunchogo

동아시아 대왕 근초고 6

발　행 │ 2024년 4월 20일

저　자 │ 윤영용

펴낸이 │ 한건희

펴낸곳 │ 주식회사 부크크

출판사등록 │ 2014.07.15.(제2014-16호)

주　소 │ 서울특별시 금천구 가산디지털1로 119 SK트윈타워 A동 305호

전　화 │ 1670-8316

이메일 │ info@bookk.co.kr

ISBN │ 979-11-410-8177-5

www.bookk.co.kr

동
아
시
아
대
왕

근초고

윤영용 지음

大 커다란   5

三 삼을   21

合 합하면   42

六 육이고   65

生 만들면   85

七 일곱이고   107

八 여덟이며   129

九 아홉이다   151

大 커다란

승리였다. 백제를 위해서도 대해부가를 위해서도 필요한 승리였다. 나주벌에 금성, 무곡성, 자미성을 세운 백제는 이제 반도 서쪽을 거의 평정하게 되었다. 비류왕의 태평성대(太平聖代)가 이어졌다. 철제 명도전은 모용씨족의 북부대륙과 반도, 열도에 이르기까지 통용되는 화폐로 자리잡았다. 대륙백제와 한성백제는 화폐제조창이자 교역의 중심지로써 그 혜택을 톡톡히 보게 되었다. 내신좌평이 된 우복의 세력이 점차 확대되어 가고 있었다. 흑우가 상단과 흑천, 그리고 대해부가 상단까지 우복의 부

(富)는 백제의 절대 권력이 되어가고 있었다.

그 중심에—

왕자 여설거가 비류왕의 후계자로 서서히 떠오르고 있었다. 온조계가 먼저 준동했다. 우복이 크게 노해서 온조계를 탄압했다. 타초경사(打草驚蛇). 풀 더듬다가 뱀을 놀라게 하여 물릴 상황이었다. 왕비 하료의 경계가 심한데… 여설거를 보호해야 했다. 이제 음탕한 왕비 하료는 대놓고 자신을 압박하고 있었다. 노골적으로 몸을 만지기까지 한다. 참 못 할 노릇이었다. 백제 내치를 총 책임지고 있는 내신좌평임에도 왕비 하료는 거칠 것이 없었다. 그러면서 한편으로 하료는 비류왕에게 다가갔다. 비류왕과 왕비 하료가 전에 없이 긴밀해졌다.

우복이—

비류왕에게 이런 생각을 들게 한 것은 왕비 하료였다. 걸걸을 태자로 세워달라고 왕비 하료와 전 내신좌평이자 장인 진루가 연이어 읍소했다. 그런데 그 앞에 내놓은 말이 비류왕 여호기를 긴장하게 했다. 걸걸을 태자로 하자는 것에 우복이 나서지 않는다고 했다. 왜 나서지 않을까. 나서지 않을 이유가 하등 없을진

대

　하료의 얘기가 점입가경이었다. 태왕후 하미와 우복, 둘 사이가 심상치 않다. 그런 얘기였다.

　궁 안에 둘의 잡스러운 추문이 널리 퍼졌다. 설거가 우복의 아들일지도 모른다고 하는 얘기. 말도 안 된다고 처음에 비류왕이 비웃었다. 그러나 같은 말을 진루와 그리고 다른 중신 특히 내위태감에게 듣고는 조금씩 우복과 하미를 살피기 시작했다. 한 달에 한 번 그믐날 즈음, 하미는 우복을 찾았다. 하미와 우복. 그리고 선왕 분서왕 사이를 누구보다도 잘 아는 여호기였다. 하지만 그들의 밀애와 비밀스러운 통정까지 알 수는 없었다. 더욱이 추문이 나돌다니. 내신좌평이란 지위가 있는데. 그저 떠도는 소문으로 치부할 일이 아니었다. 시비를 가려야 한다. 왕권에 대해 심각한 도전이 발생하고 있다.

　흑우가 상단이 너무 커졌다. 대해부가도 설거를? 거기에 생각이 미치자 자신의 경우를 상기했다. 설거… 대해부가도… 왕실의 위신과 장래가 걱정되기 시작했다.

　하료의 계책은 대성공이었다. 절대 권력자인 왕에게 의심의 칼날을 세우게 했다. 하미와 우복은 여전히 밀애를 나누는 관계다. 물론 아들 설거가 있으니까. 조심은 했다. 그러나 발 없는 말이 천 리를 가고 숨겨둔 이야기가 더 재미있는 법. 둘만의 밀애가 몇 년인가. 아무리 눈치 없는 몸종이라고 해도 하미의 몸단장이, 우복의 들고남이 소문을 만든다. 게다가 그 일은 왕비 하료 자신이 시킨 일이 아닌가. 지어놓은 밥, 차려내는 일이 무에 어려운가. 장소와 시간. 그 주기적인 일이 비류왕에게 확신을 심어주게 하는 것은 일도 아니었다.

우복이다—

설거의 후견인은 누가 보아도 우복이다. 우복이 설거의 뒤를 민다. 분서왕의 아들. 그러나 하미와의 관계를 생각하니 거기가 끝이 아니었다. 이를 안 이상 조처를 해야 했다. 그러나 그동안 나눈 정(情)이 얼마인가. 선화 실종 이후 왕비 하료와 비류왕 여호기는 합방을 할 수가 없었다. 하료의 얼굴에서 여인을 느낄 수가 없었다. 선화가 간절했다. 그런 비류왕의 허전함을 위해 애를 써온 우복이다. 북방 대륙을 안정하게 한 것도 우복이다. 지금 한성백제의 풍요로움을 만든 것도 우복이다. 세상에 나와서 첫 번 얻은 아우가 바로 우복이었다. 그런 우복을 이제 의심해야 한다. 왕실의 안녕을 위해 우복이 후견하고 있는 분서왕의 아들 설거를 경계해야 한다. 비류왕은 몇 날 며칠 밤잠을 설쳤다.

비류왕은 비로소 몇 년 전 음력 7월, 금성인 태백성(太白星)이 대낮에 나타났다는 것에 모두가 소란을 떨었던 일을 기억했다.

그해 나라 남쪽에 우박이 내려 곡식을 해쳤다. 태백성의 전설, 태양인 왕과 달인 왕비를 위협하는 큰 인물이 등장할 것이라는 예고. 현재의 왕의 계보가 아닌 새로운 왕재의 탄생예고. 한성백제가 한때 발칵 뒤집혔었다. 비류왕은 생각했다. 이제야 알겠다. 설거다. 다른 계보. 지금의 왕. 바로 자신이 아닌가. 자신과 다른 계보. 온조계다. 왜 한성백제에서 한순간 이 이야기가 사라졌는지 그 이유를 알게 되었다. 한성백제의 귀족들, 즉 온조계에서는 두 사람을 보고 있는 것이다. 대륙백제에 있는 책계왕의 장손 설리와 한성백제에 있는 분서왕의 아들, 아니 태왕후 하미의 설거. 그랬다. 설거 때문이었다.

태백성의 전설, 현재의 왕과 왕비가 아닌 제3의 왕기가 시작된다는 것. 태백성의 전설은 왕비인 하료만을 긴장하게 했었다. 비류왕은 대수롭지 않게 생각했었다. 그러나 이제는 달랐다. 힘.

권력을 자신과 분점하고 있는 내신좌평 우복이 그 후견자라면 달라진다. 지금 우복의 세력은 자신과 비등하다. 아니 어쩌면 더 강할 수도 있다. 여호기 비류왕의 등줄기가 서늘해졌다. 태왕후와 정분이 난 내신좌평. 왕권을 능멸하고 있었다. 이제 우복은 더는 비류왕의 의제가 아니었다. 적어도 마음에서는. 우복의 세력을 견제해야 했다.

왕자 여설거는—

이미 조정의 인사권을 휘두르고 있었다. 각 요직에 자신의 사람들이 뿌리를 내리고 있었던 것이다. 비류왕은 설거를 가까이에서 살펴보고자 했다.

우복을 불러 왕자 설거를 자신의 곁에 있게 하라고 일렀다. 내금위를 맡게 했다. 왕자 여설거는 이제부터 비류왕 여호기 앞에서 자신을 다 드러내야 했다. 비류왕은 치밀해졌다. 원래 에둘러 말하고 천천히 상대를 모조리 읽을 때까지 지켜보는 신중한 사람이었다. 그것이 문제였다.

우복이 느꼈다—

왕비 하료의 질시와 설거에 대한 경계. 그것이 전염병처럼 비류왕 여호기에게로 옮겨졌다. 그렇다면 지금 당장 그 힘을 써야 할지도 모른다. 그런데 걸리는 것이 있었다. 왕비족의 감시가 자신에게 쏟아지고 있는 것. 비류왕 여호기의 시선도 감당하기 어려운데 왕비가는 더더욱 만만치 않았다. 오랜 풍상 속에서 가문을 지켜왔다. 권력을 이어온 이유가 있다. 그것은 권력이 기우는 것을 안다는 것이다.

권력은 힘이 몰리는 것이다. 그 힘이 가는 방향으로 향하는 것. 또는 그 힘을 자신이 조절할 수 있다는 것이며 또 다른 이가 어느 방향으로 기울게 하는지를 아는 것이다. 왕비가는 그것을 너무도 잘 알고 있었다. 백성의 신망이 높은 비류왕 여호기의 그 힘이 있는 지금, 자신과 설거를 찍어내려 한다. 지금이라고 판단하겠지… 지금이 아니면 우복과 설거를 이길 수 없으므로 지금처럼 태평성대로 비류왕 여호기에게 힘이 있을 때 우복 자신을 제거해야 한다고 생각했을 것이다. 역시 우복은 생각이 빨랐다.

예상대로였다-

우복의 흑우가 상단은 엄청난 세를 얻고 있었다. 부(富). 경제력은 곧 권력이다. 흑천도 있었다. 대해부가도 우복과 설거다. 군사 조직에는 설귀가 있었다. 설귀는 설거보다는 대륙백제의 설리의 사람이다. 병권을 쥔 병관좌평에 진루의 아들 진서를 임명했다. 비류왕은 비록 생각이 깊어 속도는 느리지만, 핵심은 빠르게 잡는다. 벌써 우복의 세력에 대한 판단과 더불어 병권으로 견제하는 동시에 설거를 가까이 두고 볼모로 삼았다.

한성백제 장터의 분위기는 고마궁의 그것과 달랐다. 긴장감보다는 태평성대의 여유로움이 있었다. 연희는 여강과 여구를 데리고 백제 대천관 신녀가 있다는 신궁(神宮)을 둘러보기로 했다. 연희는 백제 대천관 신녀가 현 세상에서 가장 지혜롭다고 하기에 꼭 한번 보고 싶었다. 신궁은 고마궁 옆에 높은 탑처럼 쌓여 있었다. 누각(樓閣)이다. 그 꼭대기에는 오직 왕과 신녀만이 들어갈 수 있었다. 신성한 곳. 거기에 신비로움이 있었다. 위(倭) 야마다 비미호 여왕 신녀(神女)가 되어야 할 연희에게는 백제의 신녀 또한 무한한 호기심의 대상이었다.

"놀랍습니다. 그저 놀라울 따름입니다."

대천관 신녀는 세 사람을 이리 보고 저리 보고 또 보았다. 놀랍다. 왕재(王才)도 이런 왕재가 없다. 두 사람이다. 저 깊은 눈. 반듯한 코와 기운. 눈앞에 신장(神將)들이 하강이라도 한 듯 펄펄 온통 기운이다. 그런 사람들이 왔다. 문을 열고 들어오는데 다들 보이지 않았다. 다른 사람들의 기운이 느껴지지 않았다. 신궁의 호위들이 마치 피하기라도 하듯 보이지 않고 단 세 사람만이 눈으로 들어왔다. 두 사람과 한 사람… 다 영험하신 신장(神將)들이 호위하고 있었다. 대천관 신녀는 잠시 말을 잊었다. 그 기운을 느끼고 있었다. 그리고 보았다. 마치 여호기. 그 청년이 무예대전을 위해 아비 근자부와 함께 온 그날 그 모습이 지금 자신의 앞에서 다시 벌어지고 있었다. 여호기다. 비류왕 여호기의 청년 시절과 똑같이 생긴 사내가 한 여인을 앞에 두고 서 있었다. 그 여인 또한 마치 여왕의 기운을 뽐내기라도 하듯 눈 부신 햇살을 안고 왔다.

어젯밤 꿈에 자신이 두 곰에게 물어뜯기는 꿈을 꿨다. 그 꿈. 그리고 이 사람들. 칠월칠석. 기도를 위해 이제 답을 달라고 하늘에 매달리고 있는 자신에게 마치 여기 답이라고 하늘이 보내준 것 같았다. 그 사람들이 입을 열었다.

대천관 신녀가 되십니까−

예. 라고 대답했다. 저도 모르게 공손히 두 손이 모였다. 정성

스럽게 맞이했다. 신녀를 찾은 이유는 하나. 연희가 자신에 대해 알고자 했다. 또한 앞일에 대해서도.

"예. 그리 보입니다. 아주 큰 나무이십니다."

대천관 신녀는 연희를 아주 큰 나무라고 했다. 갑 목. 본 나무라고 했다. 거기에 큰 해를 받아들일 것이라 했다. 그렇게 빛이 난다고 했다. 여강은 얘기에 별 흥미가 없었지만, 여구는 아니었다. 여구는 초로, 단복과 현고로부터 귀가 닳도록 듣던 얘기지만 하면 할수록 재미있는 얘기기도 했다.

장차 다가올 미래를 안다는 것은-

알고 보면 세상 운행의 원리를 안다는 것과 같았다. 사물의 운행, 사람들이 살아가는 이치. 그리고 이 땅과 그 하늘의 원리를 아는 것과 같다.

이 땅이 돌고 있는 것을 아시지요-

대천관 신녀는 분명히 그렇게 물었다. 옛날 여구가 단복에게 물었던 질문이다. 저기 봐 별이 돌잖아. 저 별이 저렇게… 저건 빠르고 저건 늦게 돌아와. 제 모양을 찾아오는 시간이 다른데…
저 북극성이 중심이잖아. 그러니 둥근 거야. 그건 이 땅이 돌고
있다는 증거야. 옛 단군조선의 선인들이 첫 번째 배우게 되는
것을 여구는 단복에게 물으면서 가르쳤다. 단복도 미처 모르던
이치. 꼬마 여구는 자신의 앞에 직선 막대를 놓고 사방을 두른
다. 즉 꼬마 여구 앞에 직선 막대의 중심점이 하나, 둘, 셋… 계
속 찍히면서 여구가 한 바퀴 돌고 나면 여구를 중심으로 큰 원
이 나온다. 이를 가지고 땅의 세계가 둥글다고 한다. 직선으로
보이잖아. 며칠 동안 그리 얘기하더니 어느 날 단복에게 말했
다. 땅은 둥글어. 둥글지 않으면 이렇게 보일 리 없어. 산꼭대기
에서 세상을 보면 저기 가운데가 제일 멀어 양 끝은 가까워지
지. 땅끝은 직선이야. 그런데 그 직선이 내가 한 바퀴 도는데도
계속 직선인 거야. 둥글지 않으면 어디는 멀고 어디는 가까워야
하는데. 어느 산에서도 그래. 그러니 땅은 둥글어. 그럼 하늘은?
하늘도 둥글어. 왜? 왜냐고 단복이 물었을 때 꼬마 여구는 너무
도 쉽게 답을 해줬다. 하늘을 보면… 밤에 별들이 북극성을 중
심으로 돌잖아. 그런데 별자리들이 조금씩 변하지만 다시 같아
지잖아. 그러니 둥글지. 각(角)이 졌거나 다른 모양이라면 돌아
오지 못하지. 꼬마 여구는 아이들의 줄넘기를 보면서 단복에게
설명했다. 아이들이 속에 들어간 줄넘기. 그 끝에 손이 잡은 그
줄 끝을 가리키며 말했다. 저거야. 봐봐. 저 손끝이 북극성이

면… 줄이 돌고 있다. 그 줄처럼 별들이 돌고 돌아서 제자리. 그렇게 도니까 돌 수 있으니까 이 땅은 둥글다. 하늘도. 그렇게 이해하고 옛 단군조선의 선인 단복이 평생 깨우치고 있었던 천문의 핵심을 설명하고 있었다. 그래서 사계절이 있고 밤낮이 있고… 그런 것이란다.

그래서 딱 한마디 해 주었다. 단복은 그런 여구에게 그래서 인생에는 우여곡절이 있는데… 아무리 어려워도 그 힘든 만큼 보람이 있고, 시련과 고통이 크면 성과도 크다고 가르쳐주었다. 그런데 꼬마 여구는 말했다. 고통 없이 성과를 만들 수는 없느냐고. 그 여구가 대천관 신녀의 눈에 들어왔다.

"태양 같은 빛이 보입니다. 지금 그 빛은 저기 배꼽 아래 숨겨져 있지만… 그것이 숨겨진다고 숨겨지는 것이 아니고. 그때가 되면… 벌써 이리저리 그 빛이 뻗치려 하고 있습니다. 그 재주. 천하를 희롱할 것입니다. 가장 중요한 것은… 정심(正心)입니다."

그 마음. 그것을 어찌하느냐가 당신의 운명을 다르게 할 것이다. 여구에게 대천관 신녀가 한 얘기의 핵심이었다. 당신이 마음먹기에 달렸다. 더는 해줄 말이 없었다. 다른 이가 들어서는 안 되는 이야기들이 너무 많았다. 연희도 왕재(王才)다. 그런데 어찌 한낱 대해부 상단의 호위 무사가 이리도 큰 왕재일 수가 있는가. 대천관 신녀는 하늘의 섭리를 헤아리는 일이 갈수록 어렵다고 느꼈다.

"대해부 상단은 어찌할 것입니까?"

대천관 신녀가 비류왕 여호기와 왕비 하료 그리고 왕비족 진씨가와 내신좌평 우복 세력 간의 긴장 관계를 빗대어 운을 뗐을 때였다. 연희를 보고 대천관 신녀는 충분히 말을 나눌 상대라고 여겼다. 연희는 그런 기운으로 넘쳤다. 지도자의 기운이 연희의 자질이다.

"저희는 백제와 교역합니다."

연희의 대답에 대천관 신녀는 흑우가와 달리 대해부가는 다른 뜻이 없음을 알았다. 연희와 왕자 설거와의 관계 또한 새롭게 설정된 것이 없다고 판단했다. 대해부가 상단과 신궁과의 교역에 대해서도 논의했다. 연희는 의외의 성과를 얻었다고 생각했다. 뜻하지 않게 신궁과 거래할 수 있게 된 것이다. 대천관 신녀가 자주 찾아주길 당부했다. 연희와 여구도 이를 반겼다.

종자가 다르다-

하늘과 땅과 사람. 나무처럼 사람도 뿌리가 있다. 그 뿌리. 대천관 신녀는 사람은 그 뿌리가 머리에 있다고 여겼다. 나무와 대칭인 사람. 영계에 뿌리를 두고 있는 사람. 그 사람에게 씨는 곳 하늘의 사명이다. 옛 단군조선에서는 씨족마다 각자의 역할이 있었다. 하늘의 자손들은 하늘의 계율에 따라 그 씨족이 해야 할 일들을 구분했다. 각자 가장 잘할 수 있는 것으로 특화시켜 나갔다. 그 역사와 전통, 면밀하게 이어온 경험들이 우리 몸 안 구석구석에서 기억되고 이어져 오는 것이다. 대천관 신녀는 왕재가 왕가를 통해서 이어져 오는 것은 당연한 일이라 여겼다.

하늘에서 뚝 떨어졌을까-

여구. 저 사람. 어느 연줄일까? 어느 하늘이 저 청년의 기운과 닿아 있을까. 대천관 신녀는 천천히 그 비밀을 풀어볼 요량이었다. 어차피 한성백제에 새로운 바람이 불고 있다.

비류왕 21년. 327년. 가을 음력 7월. 붉은 까마귀와 검은 구름이 해를 끼고 있었다. 불길한 징조가 백제 한성을 감싸기 시작했다. 반란의 징조. 반역의 거대한 싹이 움트고 있었다.

大 커다란
三 삼을
合 합하면
六 육이고
生 만들면
七 일곱이고
八 여덟이며
九 아홉이다

잊어야 했다. 그러나 문득문득 잊히지 않은 사람. 선화에 대한 비류왕 여호기의 그리움은 나이를 먹어갈수록 커졌다. 이는 여호기가 왕가에서 편하게 자라지 않고 온갖 세상에서 외롭게 스승 근자부와 떠돌며 성장한 배경이 그렇게 만들고 있었다. 더욱 잊히지 않은 이유는 그 선화의 실종에 의문이 가득하다는 점이다. 누가 왜? 이런 생각을 하면 할수록 비류왕 여호기는 왕비 하료에 대한 의심을 풀지 못했다. 그래서 몇 년간 왕과 왕비가는 서로 내외했다. 내신좌평 진루의 자리는 우복의 것이 되었고 우복은 비류왕 여호기의 전권 위임자처럼 한성백제와 대륙백제, 나아가 열도에도 그 힘을 뻗치고 있었다.

우복은 분서왕이 죽자 비류왕의 양자가 된 왕자 여설거의 후견인이 되었다. 그런데 그 후견을 지시한 사람이 바로 왕비 하료와 왕이었다. 이제 그 지시는 없어지고 새로운 권력욕과 모함의 근거가 되고 있는 것이다. 우복은 답답해야 했다. 그러나 답답해하지 않았다. 이미 그것을 예상하고 있었다. 지난 열도 남행으로 왕자 설거가 많은 성과를 올렸을 때, 한성백제가 내해(內海) 전역의 화폐를 명도전(明刀錢)으로 통일했을 때 그때부터였다. 이런 날이 올 것이다. 반드시. 왕비 하료가 먼저 준동할 것이고 비류왕 여호기 또한 그에 휩쓸릴 것이다. 예상은 빗나가지 않았다.

새로운 갈등의 시작-

그 조짐은 왕과 왕비가의 균열이었다. 비류왕 여호기는 왕비 하료를 멀리한다. 왕비족 진루가 내신좌평에서 물러나자 왕비가는 공식적으로 그 세력을 현격히 잃었다. 이제 남은 것은 태자 문제다. 왕권 후계자 경쟁 구도가 본격화되는 것이다. 태자 결결. 하료의 큰아들은 왕이 될 인물이 아니다. 그러나 그렇게라도 태자를 만들어 놓아야 할 것이다. 하료에게는 핏줄이 중요했다. 권력에 대한 집착은 하료를 따라갈 자가 없다. 더구나 어미의 마음으로 자식을 본다. 비류왕 어호기와는 다르다. 우복은 우선 급한 대로 이를 미봉책으로 썼다.

치밀하게 준비해야 했다―

우복은 하료와 겨룰 힘이 있는 지금이 유일한 기회라고 생각했다. 장소도 물색해야 했다. 시기도 중요했다. 비류왕 어호기는 평소 무던한 사람이다. 그러나 전쟁이나 누구와 겨루어야 하는 상황이 되면 순간 치밀해진다. 남들이 두세 가지 수를 내다본다면 비류왕 어호기는 십 수 가지 경우의 수를 미리 따져볼 줄 알았다. 자칫하면 다 들통 날 위험이 있었다. 그런 생각으로 우복은 다른 계획을 추진해왔다.

"병사들이 움직이고 있습니다."

한성백제 인근에서 병사들이 움직인다. 확인해보니 사병이다. 사병들이 한성백제의 고마성 북성에서 급격히 불어나고 있다는 정황이 들어왔다. 백제에는 고마성을 중심으로 다섯 개의 중요 방위 산성이 있다. 백제는 항상 외적의 침입을 막기 위해 동서남북과 중앙에 성을 쌓아 도읍을 지키게 했다. 그 북성에 지금

사병들이 병사들로 위장해 채워지고 있었다. 보고는 내금위장 여설거에게 당도했다. 설거는 급히 비류왕 여호기에게 향했다. 북성에서 이상한 조짐이 인다? 비류왕 여호기가 보고를 받으면서 설거의 표정을 보고 있었다. 설거는 아무런 반응이 없었다. 보고를 마치자 비류왕 여호기가 북성에 간다고 했다. 설거는 반대했다. 정체를 알 수 없기에 위험하다고 했다. 비류왕 여호기는 곧 있을 교역에 내보낼 물품(物品) 전시회(展示會)를 참관하기로 되어 있었다. 그 전시회 직전에 북성을 시찰하겠다고 했다. 설거가 강하게 반대했다.

백제는 건국 이래 내해(內海)를 중심으로 해상교역에 힘써왔다. 철제 명도전(明刀錢) 화폐제조권을 확보한 이후에는 더욱더 교류의 중심에 있었다. 하루라도 빨리 주변국의 문화를 받아들이고 소화해야 했다. 명도전을 얻기 위하여 백제로 각 나라 소국들의 상인들이 몰려오고 있었다. 이것이 기회였다. 주변국들의 것을 백제의 것으로 더 뛰어나게 만드는 것. 백제 비류왕 여호기는 이것이 백제 중흥의 핵심이라고 생각했다. 비록 화폐제조권이라는 생각을 설거가 해냈다고 했지만 여기까지의 통찰력은 없었다. 백제인들은 뭐든 만들어내는 데 뛰어난 감각이 있었다. 그 재주. 박사제도로 장려해 왔다. 소서노 모태후 시절 이후 양잠과 제철, 흙을 불에 구워 각종 기구를 만드는 기술, 나무에

옻을 칠해서 변하지 않게 하여 오래도록 쓰게 하는 기술 등 백제는 지금 그 어느 때보다도 기술이 집적되는 시기를 맞이하고 있었다. 그 기반이 바로 교역 물품 전시회였다. 각 상단에 명(命)했다.

"새롭게 교역할 물품에 대해 각국과 각 상단에서 이를 제시하게 하라. 상단이 제시한 그 신기술에 대해 내해 일원의 교역권과 거래를 일정 기간 보장할 것이다. 왕이 직접 관장할 것이다."

비류왕은 이렇게 명령했다. 교역과 거래를 보장할 테니 신기술을 보이라 했다. 특산물을 개발하라는 것이다. 경쟁체제요. 미래를 보장받는 일이었다. 이러한 제안을 해온 것은 대천관 신녀였다. 신녀는 대해부가 이것을 원한다고 했다. 기존의 생활필수품 말고도 새로운 기술의 신기한 것들이 교역물품으로 쓰일 수 있게 해달라는 제안을 대해부가로부터 받아서 비류왕에게 건의했다. 이는 비류왕의 구미에 맞았다. 새로운 것. 그것이 바로 미래다. 그렇게 생각하고 있었는데 그 구체적인 제안이 들어온 것이다. 신궁과 왕비족 상단 그리고 대해부가 상단이 이를 추진하도록 했다. 2년에 1회. 각국의 상단에 진기한 물품을 전시하게 되면 한성백제의 번영을 만백성이 함께 느끼게 될 것이라는 부수 효과도 있었다.

왕비 하료는 바빠졌다. 신궁도 그랬다. 밀접하게 물품 전시회를 준비하는 동안 우복의 흑우가 상단이 맨 먼저 소외되기 시작했다. 각국의 밀무역을 담당하던 흑천도 소외되었다. 내해(內海) 각국의 상단들이 서로의 진기한 것들을 꺼내는 물품 전시회를 기대하고 흑천 상단에 물건 공급을 중단하기 시작했던 것이다.

고사(枯死) 작전이다―

우복은 이것이 자신을 견제하기 위한 비류왕 여호기와 왕비가의 교묘한 이간책이라고도 생각했다.

"그래야 우리 백제가 내해(內海)의 중심이 될 것입니다."
"제게는 우복의 상단이나 흑천을 경계하는 효과가 더 커 보입니다."

비류왕은 자신의 뜻과 달리 상대에 대한 권력 견제의 수단으로 물산전을 보고 있는 왕비 하료가 못마땅했다. 매사를 비틀어 보는 하료였다.

"대왕후의 일에 대해서는 알아보셨습니까?"

"알아보았소!"

"그래 어떻게… 차마 입으로 말씀드리기가 송구스러워서"

"그렇소. 차마 입에 담기조차 곤란한 일이오."

"어미가 그러니 그 자식은…."

우복의 아이가 아니겠느냐? 이런 뜻으로 하료는 말하고 있었다. 태왕후 하미의 아들 설거에 대한 집요한 공격이 하료에게서 그칠 줄 모르고 이어졌다. 하료는 자신이 물은 것을 놓지 않는다. 설거를 그렇게 집요하게 하듯 선화도 노렸겠지? 비류왕은 하료와 얘기를 나눌 때마다 선화가 떠올랐다. 더 얘기하면 심사가 뒤틀릴지도 몰랐다. 자리에서 일어섰다. 그런 비류왕의 뒤로 왕비 하료가 인사를 하며 한 마디 던졌다.

"세상에 믿을 사람은 우리밖에 없습니다."

왕비족. 왕과 왕비족만이 서로 믿을 수 있는 존재라고 한다. 피와 피가 섞인 사이. 혈연으로 맺은 그 인연으로 서로 지켜줄 것이라 믿는 것. 권력이란 그런 것입니다. 이렇게 하료는 비류왕 여호기에게 말하고 있었다. 여호기가 무명씨에서 왕이 되는 것에 왕비 하료는 누가 뭐래도 1등 공신이다. 자부심을 지나 자만이 왕비족 하료와 하료의 아비 진루에게는 있었다. 그러나 그 힘이 자만이어도 비류왕에게는 아직 필요한 것이었다. 힘이 있을 때 다음을 준비해야 했다. 그 힘이 아직은 서로 이어주고 있을 때 묶어 놓아야 했다.

대성공이다ㅡ

무조건 성공이었다. 시작도 안 했지만, 이 일은 어쨌든 대해부가 상단에서 보면 대성공이 보장된 일이었다. 백제 대천관 신녀는 신궁과 왕비가를 엮는 물품 전시회를 이루어냈다. 연희는 여구의 말대로 대륙과 반도, 탐라와 열도, 남만을 잇는 내해(內海) 물품전시회를 한성백제에서 열게 하면 그 성과를 가장 크게 받는 곳이 바로 대해부가임을 알고 있었다. 온 힘을 다했다. 대천관 신녀와 왕비가를 설득하는 것이 우선이었다. 그런데 뜻밖에 대천관 신녀는 쉽게 그 일에 동의해 왔다. 왕비가도 그러했다. 이십 년간 가장 대해부가를 탐탁지 않게 생각하던 곳이 바로 왕비가였다. 그런데 태도가 달라졌다. 한성백제에서 대해부가가 상대할 곳이 많아진 것이다. 좋아진 것이었다. 다변화였다. 권력이라는 것이 자주 기울게 되는 것이 정한 이치다. 그 권력의 축을 다양하게 만드는 것 또한 권력을 활용하는 자들의 속성이다. 대해부가는 이제 그 기회를 잡은 것이다. 연희와 여구가 급히 위(倭) 야마다 비미호 여왕 신녀(神女)이자 어머니인 인화를 보러 가야 했다. 대해부가가 이번 전시회의 주관을 맡았기 때문이었다.

이거 원, 한방이다—

대해부가 더 놀랐다. 숙원이 해결되었다. 지난번 나주 정벌 일만 해도 그렇다. 가장 어렵고 힘든 것이 굶주린 자들을 다스리는 것이다. 굶주린 백성은 성난 파도와 같다.

순풍(順風)에 돛을 달면 천 리 길도 한숨이다. 역풍(逆風)은 그래도 가게 한다. 거꾸로 부는 바람은 돛 질만 잘하면 갈 수는 있다. 그러나 혼풍(混風)은 다르다. 이리저리 흔들리는 바람. 굶주린 백성은 그런 혼풍이다. 배를 뒤집게 한다. 그런데 나주벌에서 연희와 여강, 그리고 여구는 순식간에 점령했다. 그것도 최대의 무기가 쌀이었다. 일 년에 삼모작을 하는 남만에서 헐값에 들여온 쌀. 그 쌀을 정벌군이 가져간 가장 큰 무기로 활용했다. 여구의 복심이 보였다.

여구는 딱 오 년만—

두고 보자고 했다. 삼 년 가는 재해 없다고 했다. 오 년 후에 반드시 큰 이문을 남긴다고 했다. 대해부는 그것을 알고 있었다. 곡창지대. 한두 해를 넘어 계속 흉년이 들면 난민이 된다. 해적질도 하고 도적질도 한다. 그러다 조금이라도 먹을 것이 있으면 외적이 침입하고… 이런 악순환을 일순간에 바꾼 사람이 여구다.

조금씩 나눠주었다면 싸웠을 것이다. 그런데 자신들이 다 먹을 만큼 나눠주었다. 게다가 금성(金城)에 군대와 더불어 또 군량미, 구휼미까지 쌓아 놨다. 곡물에 대한 미련이 없어지자 백성은 순식간에 순한 양이 되었다. 거기에다가 일시적으로 생산량을 확대할 수 있는 철제 농기구를 주고 저수지를 여러 곳에 만들게 했다. 이는 나중에 이문을 따져서 받을 계산이 끝나 있었다. 보(補)를 쌓은 곳은 대해부가의 경작지가 된다. 그 경작지의 소출조차 10의 2만 받기로 했다. 종자를 주고, 소출의 10의 2만 받자 온 사방에서 소작을 원했다. 농노(農奴)들이 부담할 것이 적었다. 8이 소작의 품삯이었다. 옛 단군조선의 셈법이었다. 거기에 여구만의 상재(商材)가 빛나고 있었다. 지금은 나눠주는 교역장이지만 후일 제일 중요한 이문이 생길 교역장이었다. 풍년이 들면 저 교역장에 진미 나주 쌀이 쏟아져 들어온다. 잉여 쌀. 잉여 곡물은 곧 대해부가의 재산으로 쌓일 것이었다. 그 교역장은 전체가 다 대해부의 것이었다.

그런데 물품전시회라-

내해의 각 소국은 오래전부터 대륙과 한(韓) 반도와 교류를 해야 했다. 반도의 선진기술과 문화를 받아들여야 했다. 청동거울, 거푸집을 이용해 만든 거울부터 칼, 금관에 쓰일 장신구들은 물론 제사에 쓰일 각종 제구와 방추차, 도끼, 칼, 거울 등을 작고 간단한 형태로 만든 것도 필요했다. 무엇보다도 붉은 황토가 불을 통해 만들어지는 토기는 열도와 저 아래 남쪽 나라들에서는 정말 귀한 생활용품이었다. 전쟁무기는 또 어떤가! 칼은 곧 국력이다. 그 칼을 만드는 철광석의 생산과 철을 다루는 여러 기술을 열도는 가지고 있지 않았다. 철정을 얻어서 겨우 칼을 만들어도 반도의 그것과는 달랐다.

기술이 다르다-

그런데 여구는 한 곳에 그 기술 제품들을 모으고 나누자 했다. 열도가 그렇게 필요한 백제의 진기한 신기술. 게다가 각기 다른 여러 나라의 특산품을 모이게 하니 이를 통해 대해부가는 새로운 기술도 배울 수 있었다. 여구는 그렇게 백제 대천관 신녀와 왕비가를 움직여 세상을 바꾸고 있었다. 그런 여구를 보면서 대해부는 여전히 갈피를 잡지 못한다.

다 되고 있었다-

자신의 나이. 이제는 때가 오고 있었다. 먼저 눈이 시리다. 노욕(老慾)만 늘어간다. 그런데 이를 어쩌나. 여구를 보면서 대해부는 연희를 생각한다. 연희. 책계왕 시절 대륙백제 태왕손 설리와 비미호 신녀 인화의 딸이다. 그 딸이 지금 혼기가 꽉 찼다. 마땅히 비류왕 여호기의 아들 중 하나를 골라야 한다. 그런데 아직 비류왕 여호기도 대해부도 연희의 짝을 고르지 못했다. 대해부가 본 하료의 아들 중에는 없다. 오히려 분서왕의 아들인 왕자 여설거가 왕재다. 그런데 문제가 생겼다. 연희는 설거가 안중에도 없었다. 그것도 문제지만 여구가 더 문제였다.

여구-

다르다. 그가 바로 한순간에 사람을 끄는 귀한 매력을 가진 사람이라는 점이다. 여호기도 그랬다. 선화와 자신을 일순간에 끌어당겼다. 그런데 여구는 벌써 몇 년인가. 연희는 이미 여구에게 잡혀 있다. 대해부는 안다. 여구가 연희를 이끈다. 비미호 여왕이 될 연희가 여구에게 명령하는 것 같지만, 그 명령을 내리면서 연희는 항상 여구의 눈치를 살핀다. 여구의 표정에 따라 수시로 명령이 바뀐다. 연희의 마음이 여구에게 잡혀 있었다.

더 큰 문제는 자신이다—

대해부 본인도 여구에게 끌린다. 바둑으로 무예 서고를 통째로 넘기고도 하나도 안 아까웠다. 한 집이 아닌 두 집 이상을 지기 위해 애를 쓰면서 뭐 이런 놈이 다 있나 싶었다. 그래서 바둑 스승으로 삼았더니 큰 제자 초로와 둘째 제자 단복을 사형으로 모시고 정진하라고 했다. 좋은 바둑 친구를 얻었지만, 여구 자신은 쏙 빠져나갔다. 여구의 무궁한 수에는 당해낼 재간이 없었다. 반도가 흉년이 들자 여구는 소금과 토기를 열도의 쌀과 바꿨다. 쌀로 토기와 소금, 철정(鐵釘)을 만들어 남만의 삼모작 쌀과 또 바꿨다. 무려 여덟 배가 남는 장사였다. 그중 반이 넘는 쌀을 나주벌에 풀었다. 가뭄이 든 한성백제에서는 열도의 품질이 좋은 쌀로 귀한 대접을 받았다. 백제의 소금과 그릇, 철정(鐵釘)을 가지고 높은 가격으로 대풍작인 남만에서 헐값의 쌀을 다량으로 사서 그 쌀로 나주벌을 정벌했다. 그리고 삼 년 이은 흉년 없다고 했다. 저수지를 만들고 풍년을 기다렸

다. 그런 때를 볼 줄 아는 놈. 그놈이 늙은 대해부의 최대 고민
이었다. 손녀의 마음을 빼앗은 여구에게 어떻게 연희를 주어야
하나...

위(倭) 야마다 최대 최고의 장사를 해야 했다–

여구는 그렇게 성장했다. 그런데 도대체 눈을 안 돌린다. 달
라고 하면 다 줄 것인데 돌아보지를 않는다. 여구는 안다. 형
여강이 연희를 마음에 두고 있는 것을. 곰 같은 여강의 속병을
벌써 알고 있었다.

연희를 사랑한다–

누군들 사랑하지 않겠는가. 사랑스러운 여인이다. 연희는. 바
르다. 강하다. 그러나 연희는 절대 권력을 가진 위(倭) 야마다
비미호의 차기 여왕 신녀(神女). 아무나 넘볼 수 없다. 연희를
갖는 자가 바로 위(倭) 야마다를 갖게 되는 것이다.

대륙백제에 다녀오너라–

결론을 내려야 할 대해부는 대륙백제로 보냈다. 연희와 여구

형제가 대륙으로 향했다. 백제 내신좌평 우복은 흑천 서위로 하여금 연희 일행을 감독하게 했다. 우복은 연희를 얻어야 왕자 여설거가 백제를 얻을 수 있다는 것을 알고 있었다. 흑천 서위는 연희와 설거의 인연이 성사되리라고 믿지 않았다. 연희가 설거를 소 닭 보는 듯 했다. 설거도 그랬다. 흑천 서위가 보기엔 오히려 여강이 연희에게 더 애정이 깊었다. 여강은 연희를 연희는 여구를 좋아하고 여설거는 그들 셋 사이에서 겉돌았다. 우복과 흑천 서위는 서로 바라보는 바가 달랐다. 이번 대륙백제에 가보면 알 수 있을 것이었다.

아버지와 딸—

딸은 딸이되 자신이 기르지 못하고 남 앞에 딸이라 칭하지 못하는 자식. 위(倭) 야마다 비미호 차기 여왕이며 신녀. 그녀가 대륙백제 위례성으로 향했다. 위례성 중앙 토성에 대륙백제의 좌장 설리의 거처가 있었다. 위례성 거불성은 백제왕의 궁성이었다. 비류왕과 태자 걸걸의 행차 때에만 사용됐다. 대륙백제 좌장 설리는 중앙 토성에 거처하며 행정을 펼치고 있었다. 설리는 연희를 만나면서 많은 생각을 해야 했다. 교역을 위해 비미호 여왕 인화나 대해부가 대륙백제에 올 때마다 자신의 딸, 연희를 데리고 왔다. 수년에 한 번씩이라도 얼굴을 볼 수 있었기에 그래도 아비의 정이 있었다.

대륙백제와의 교류는 지금 절정에 달해 있다. 책계왕의 손자이며 분서왕의 아들인 설리는 대륙백제 좌장이자 대방태수를 겸하고 있었다. 비류왕 여호기에 의해 대륙백제 명문세가들이 설리를 받들고는 있지만, 실상은 설리를 견제하고 있었다. 다만 온조계로서 설리의 위세는 아직도 여전했다.

대해부가는 그 틈을 활용하고 있었다. 설리는 위(倭) 야마다 비미호 신녀 인화의 정인(情人)이자 연희의 아버지다. 백제의 비류왕이 이를 용납하고 있어서 대해부가도 야마다도 큰 진통이 없었다. 그런데 이제 연희 문제가 곧 부상될 것이다. 여설기는 연희에 대해 노골적으로 요구하기 시작했다. 대해부가의 힘을 보게 된 내신좌평 우복도 점차 연희의 미래를 얘기하고 있었다. 그 이야기가 대해부 편지에 쓰여 있었다. 그런데 의외의 얘기가 덧붙여 있었다. 연희가 마음에 둔 사람이 있다고 했다. 그는 다른 사람이라고 했다. 설리는 설거를 생각해 보았다. 자신의 태자 즉위를 반대한 이유. 온조계의 중심을 놓고 설리는 나이 차가 많은 배다른 아우 설거와 다투고 있었다. 연희는 그런 면에서 온조계를 단합시키는 아주 좋은 매개가 될 것이다. 그러나 설리는 그런 것에 연연하기는 정말 싫었다. 자신의 태자 즉위를 막은 이유. 하미의 아들. 배다른 동생 설거에게 내 딸을? 차라리 백제 비류왕의 두 아들 중의 하나였다면 쉽게 승낙했을 것이다. 그런데 여설거라. 왕자 설거. 항간에는 내신좌평 우복의 아들이라는 이야기도 있다. 이 정보는 꽤 그럴듯했다. 어딘지 그러고 보니 설거가 우복을 닮은 듯 보이기도 했다. 이런 상황에서 설거에게 연희를? 설리의 자존심이 이를 용납할 수가 없었다. 차라리 그 다른 남자가 누구인가? 연희가 마음에 두고 있다는 그 사내가 보고 싶었다.

철제 명도전을—

그 사내의 생각이라고 했다. 알려진 것처럼 왕자 여설거의 생각이 아니다. 위(倭) 야마다 대해부가 순식간에 나주벌을 장악할 수 있었던 것도 그 사내의 전략이었다고 했다. 그 사내.

노예출신의 호위좌장이었다. 여구를 얘기하는 연희는 얼굴에 미소가 끊이지 않았다. 연희 마음을 정말 가져갔구나! 아비로서 설리는. 그 청년을 보고 있었다. 불과 다섯 걸음 너머에 그 청년이 있었다. 먼 산을 바라보고 있는 그 청년. 설리는 그 청년의 모습이 매우 낯익었다. 한순간 무명씨에서 무예대전의 우승자로 자신의 수하에서 지금은 대백제의 비류왕이 된 여호기가 그에게서 느껴졌다. 평생의 정적이며 지금도 자신이 언젠가는 꺾어야 하는 사내. 어쩐 일인지 청년에게서 여호기의 기운이 흘렀다.

"네놈이냐?"
"예?"

대뜸 들이댔다. 이놈- 감히. 그런 느낌이 설리에게서 전달됐다. 여구는 이 느낌이 그리 나쁜 것이라고는 여겨지지 않았다. 설리로서는 비류왕의 두 아들도 우복의 아들 설거도 아니다. 차라리… 라는 생각이 여구에게 깊은 관심을 두게 했다. 그래도 감히 호위좌장이 위(倭) 야마다 비미호 차기 여왕이자 신녀(神女)를 넘본다. 이를 어찌 처리해야 하나.

바둑을 두기로 했다. 설리는 연희 말대로 대해부가 한 집을 극복하기 위해 애를 썼다는 말을 실감하기로 했다. 그러면서 물었다.

대륙이 어떻게 될 것 같으냐고. 태풍이 대륙 남방을 휩쓸고 지나면서 대홍수를 일으켰다. 대륙 북부는 다시 가물고 있었다. 땅이 크게 흔들리면서 민심도 흔들리고 있었다. 이제 어찌해야 하느냐?

여구는 쉽게 답했다. 들개가 먹을 것을 주는 자를 만나면 꼬리를 흔들게 됩니다. 세상은 그 이치입니다. 곧 작은 나라들이 일어섰다가 주저앉을 것입니다. 그 후에야 대국들이 자리를 잡을 것입니다. 이제는 내해(內海)를 누비는 자가 세상의 주인입니다. 북부대륙은 그것에 비하면 너무 치우쳐 있습니다. 풍요는 있을 때 없을 것을 준비하고, 없을 때에도 있는 것을 나눌 수 있는 그런 국가만이 누릴 수 있는 것입니다.

풍요… 달랐다―

그 뜻이 달랐다. 백성을 먹일 생각을 하고 있다. 권력. 힘이 아니었다. 새롭다. 새롭고 확실한 국가 번영을 위한 생각이 있었다. 그리고 더욱 놀라운 것은 이것이 하나하나의 사람을 위함이었다.

내 나라만이 아닌 작은 소국의 이익도 생각해주는 마음넓이. 설리는 여구를 다시 보았다. 서로 필요한 것을 나누면 된다. 그리고 그 필요한 것을 통해 각국의 백성이 서로 오고 가며 교류하는 것. 그것이 평화롭게 모두가 잘살게 되는 세상이라 했다.

그런 세상을 꿈꾸고 있었다. 그것이 일개 호위좌장 여구의 생각이었다. 연희의 마음을 가진 놈은 이제 그 아비의 마음조차 흔들고 있었다.

大 커다란

三 삼을

合 합하면

六 육이고

生 만들면

七 일곱이고

八 여덟이며

九 아홉이다

合 합하면

선(善)해야 한다. 그러나 다시 합하니 선해지기는 고사하고
싫었다. 왕비 하료를 보니 더 싫어졌다. 비록 정치적으로는 왕
비가와 비류왕 여호기는 한배를 타야 했다. 백제의 실세가 되어
버린 우복을 견제하기 위해서 비류왕은 왕비 하료에게 대해부
가와의 결탁을 요구했다.

한성백제 온조계는 대륙백제 설리의 부하였던 훈련태감 설귀
가 중심을 이루고 있었다. 그 대해부가는 대륙백제 설리와 관계
가 깊다. 비류왕 여호기는 이를 알고 묵인하고 있었다.

왕비 하료의 생각은 달랐다. 하료는 열도에도 여왕이 아닌 자신의 아들이 왕이 되기를 바랐다. 비류왕 여호기와 선화의 일로 왕비 하료는 여전히 꼬여 있었다. 왕비 하료는 힘이 생긴다면 열도를 아예 백제의 땅으로 편입시킬 생각을 하고 있었다. 이를 비류왕 여호기가 눈치챘다.

그만큼 하료의 권력욕은 강했다−

대해부가와 왕비가는 백제 신기술 교역 물품전시회를 공들여 준비했다. 가야의 철 기술이 점차 발전하고 있었다. 철판을 더욱 얇게 만드는 기술이 뛰어났다. 신라의 금세공 기술도 나주벌의 쌀도 좋았다. 열도 아래 대양(大洋)의 섬나라에서 가져온 보배 조개는 남만의 그것과는 또 달랐다. 진주와 각종 옥은 고가의 장식품들이었다. 기술의 대미는 배였다. 각 나라의 배들이 한성백제 포구에 들어차자 장관을 이루었다. 서로의 배를 비교했다. 새로운 배를 만드는 데 도움이 될 것이었다. 역시 백제와 야마다의 배가 가장 우수했다. 배를 만드는 신기술에 대한 교류는 곧 새로운 해운(海運)의 중심이 반도 한성백제에서 이루어지고 있음을 알리고 있었다. 각 소국은 백제와 협력하기를 원했다.

불구대천지원수도 왔다−

　모용외의 특사로 장무이가 왔다. 낙랑성에서 장통이 죽자 비류왕과 모용외가 임명한 대로 장무이는 낙랑태수가 되었다. 그 장무이의 처와 비류왕 여호기의 후처인 모용오가 쌍둥이였다. 그런 인연으로 장무이가 한성백제에 오게 되었다. 책계왕과 분서왕을 죽인 낙랑태수 장통의 큰아들이 백제의 낙랑태수가 되어서 조정에 문안 올리러 온 것이었다. 모용외는 백제 비류왕에게 낙랑성을 선물했다. 낙랑성은 이제 백제의 통치를 받게 되었다. 그리고 동시에 낙랑성은 모용씨족의 연나라 교역의 중심지가 되었다. 그런 의미가 장무이의 한성백제 방문에 있었다. 이렇듯 한성백제의 물산전은 물품과 규모, 그 새로운 기술과 변화에 천하의 시선을 붙잡을 만했다. 2년에 한 번은 이런 물산전을 열어야겠다고 비류왕 여호기는 생각했다. 사람들은 백제의 번영을 기대했다. 다들 잔치처럼 물산전을 즐겼다.

　"보셨습니까?"
　"뭘?"
　"못 보셨습니까?"
　"뭐?"

"토기 말입니다. 제각기 다른 토기들을 보셨습니까?"

"봤어… 아까 봤잖아… 그런데?"

"역시 옛 단군조선의 선인들이 흙을 활용하여야 한다는 의미를 알게 되었습니다. 흙이 오행의 중심인 이유가 있었습니다."

"뭐가? 왜?"

도대체 알 수 없는 사람. 여구는 그런 사람이다. 연희와 여강은 여구의 말을 듣다 보면 한동안 무슨 말인지. 어떤 생각을 하고 말하는 것인지 알 수가 없었다. 다르게 본다. 같은 것을 똑같이 보고 똑같이 얘기했는데 다른 것을 보고 다른 이야기를 하는 것 같다. 토기(土器)와 흙. 음양오행의 중심이 왜 흙(土)인지 알았다고 했다. 그게 무슨 의미가 있는데, 여구는 저리 흥분하고 있나? 이런 생각이 들자 거꾸로 연희가 더 궁금해졌다.

"왜? 뭔데…"

다시 물었다. 그런데도 여구는 대답이 없다. 이럴 때 보면 여구는 다른 생각을 하고 있다. 말도 적어지고 뭘 물어도 대답도 하지 않는다. 성질 같으면 한 대 때려주고 싶지만 이러다가 나주벌 정벌계획도 나왔고 명도전도 나왔다. 물산전도 이러다가 나왔다. 그냥 놔두고 싶었다. 그래서 더 좋은 생각이 나오면 많

은 사람을 기쁘게 해줄 일이라며 연희에게 자랑할 터였다. 그때
까지 그냥 봐주는 것이 낫다는 것을 연희는 잘 알고 있었다.

넌 빠져라-

여강과 연희는 생각에 빠진 여구를 남겨 놓고 한성백제에서
이번 물산전에 대한 세상의 인심을 살피기로 했다.

대단하다-

비류왕 여호기에 대한 칭송이 높았다. 그때 불길한 징조가 물
산전 끝줄에서 나왔다. 흑천이 한성백제에서 철수하기로 한 것
이다. 더욱이 흑천의 수장 현녀가 중병에 들어 산송장이 다 되
었다는 것이다. 흑천 세력이 급격히 약화되고 있었다. 그런데
흑우가도 본거지를 대륙으로 옮겼다. 왕비가의 견제도 심했지만
그렇다고 대륙으로 옮길 이유는 없었다. 내신좌평 우복의 의도
가 이상했다.

"내신좌평의 세력이?"
"예. 곧 한성백제가 내전에 휩싸일 수도 있습니다."

여강의 얘기가 믿어지지 않았다. 연희는 이럴 때 어찌해야 하는지를 잘 몰랐다. 괜히 내분에 휘말리면 대해부가의 존립만 위태로워진다. 여구와 상의하자고 했다. 여강은 안다. 연희는 뭐든지 여구다. 여구. 자신의 동생. 자신이 보아도 참 좋은 아이. 머리가 비상한 동생이다. 그 여구를 좋아하는 연희를 사모한다. 이 갈등이 여강을 힘들게 하고 있다. 또한 여구도 그러했다. 연희와 여강의 시간을 만들어 주지만 그 시간 내내 연희는 여구 얘기만 한다. 그것은 갈등의 시간이다.

우복의 반란—

그때 백성의 동요를 일으키는 대사건이 발생한다. 물산전의 경진 장터에서 기술박사들을 치하하던 날, 비류왕 여호기를 암살하려는 자객들이 난입했다. 왕의 호위 군장이었던 설거가 이 정보를 알고 비류왕 여호기를 암살에서 구한다. 자객을 보낸 자가 더욱 놀라웠다. 왕의 아우. 의제. 평생의 희로애락을 같이하자던 그 우복. 내신좌평 우복의 반란. 왕의 아비가 될 운명을 타고난 우복이 반란을 일으킨 것이었다. 이미 내신좌평 우복은 왕비 하료의 견제를 심하게 받고 있었다. 비류왕 여호기의 의심도 받고 있었다. 비록 뒤집을 힘은 있었지만 그래도 완벽해야 했다. 비장의 계책을 꾸민다. 때가 되었다. 그래서 한성백제 고

마성의 북성(北城)에서 반란을 일으켰다. 한성백제 고마성 주위
는 초긴장 상태에 놓였다.

비류왕을 거스르는 내신좌평 우복의 반란은 거대한 음모였다.
우복의 반란. 우복의 반란은 오히려 비류왕의 선대왕이었던 분
서왕의 장남인 설거를 이십 대 중반의 나이로 새롭게 등장하게
한다. 우복의 반란 세력을 왕자인 여설거가 앞장서서 막는다.
군을 동원하기보다는 온조계의 중심이라는 점을 이용했다.

역정보를 제공했다. 자객으로부터 비류왕을 구한 왕자 여설거
는 북성에 있던 온조계 사람들에게 밀명을 보낸다. 왕의 암살은
실패했다. 우복을 잡지 않으면 몰살당한다. 아니면 항복하라!
이런 온조계에 대한 밀명에 우복의 심복들이 당황하기 시작했
다. 그 온조계는 왕자 여설거가 인사권을 휘두르던 때 심어놓은
우복의 사람들이었다.

우복의 부하들이 동요했다. 일부가 탈영하여 반란군을 쫓는
토벌군으로 왔다. 설거는 토벌군 선봉을 자임했다. 그제야 비류
왕은 토벌 책임을 왕자 여설거에게 맡겼다. 토벌군은 일시에 북
성을 포위했다. 그리고 다시 심리전을 펼쳤다. 심리전에 반란군
일단이 또 항복해왔다. 우복은 이제 완벽하게 고립되었다.

보냈다-

우복은 비류왕에게 편지를 보냈다. 자신이 왕이 되지 못한 것에 대해 하늘을 원망하는 글이었다. 천하를 희롱하려 했는데 이루지 못한 심정이 가득했다. 비류왕 여호기는 우복의 반란에 왕비 하료와 자신의 책임이 있다는 것을 알았다. 그래서 설거 또한 자신의 아비 같은 후견인이었던 우복을 토벌하러 나서야 한다는 것도 알았다. 죽지 않기 위해 후견인을 죽여야 하는 설거의 입장과 하료의 집요한 성정을 잘 아는 우복의 심정도 비류왕 여호기는 이해했다. 비류왕 여호기는 우복에게 자진을 명했다.

스스로 목숨을 끊어라-

네 집안식솔은 살려두마. 그렇게 거래를 하고자 했다. 비류왕 여호기의 친서를 받고도 우복은 설거와 한바탕 전투를 벌였다. 더는 버틸 힘이 없었다. 설거의 군 동원력은 탁월했다. 산이 높았던 북성 특성을 알고 고립작전을 쓰고 있었다. 보급을 다 끊어버렸다. 숫자에서도 불리했다. 온조계들은 자신들의 수장인 왕자 설거를 따르기로 했다. 속속 투항하기 시작했다. 우복은 최후의 수를 썼다.

우복은 아내 모용유, 그리고 일부 식솔을 칼로 베어버렸다. 그리고 거처에 불을 지르고 자신도 목을 맸다. 얼마 뒤 우복의 유품과 불에 탄 시체가 발견되었다. 정황은 종료되었고 비류왕 여호기와 설거에게 보고가 올라왔다. 고이왕계 방계족으로 한성백제와 대륙백제의 가장 큰 상단 흑우가를 이끌던 백제의 이인자 우복이 졸지에 몰락해버렸다.

비류왕 여호기는 자신의 마지막 명을 따른 우복에 대해 오히려 불쌍하게 생각했다. 권력이란 이렇듯 이인자를 용납하지 않는다.

왕비 하료는 일이 묘하게 꼬였다고 생각했다. 우복이 아니었다. 자신이 노린 것은 우복의 아들 설거였지 내신좌평 우복이 아니었는데 도리어 우복이 사라지고 왕자 여설거가 득세하는 꼴이 되었다. 얼마 전까지 하료는 우복이 사라지면서 설거 또한 제거될 줄 알았다. 그렇게 되는 것 같더니… 자신이 약점을 틀어쥐고 있던 우복은 제거되었으나 눈엣가시인 설거는 오히려 더 강해졌다. 비류왕 여호기는 위기에서 자신을 구해낸 왕자 여설거의 후견을 자임했다. 매우 총애했다. 우복이 죽고 후견자가 없어진 설거를 활용해 왕비 하료를 견제할 계산을 하고 있었다. 더욱이 왕비가의 요구가 거세질 것이 분명한 태자 즉위를 통해 왕자들의 충성 경쟁을 유도하여 국가 번영을 꾀할 생각이었다. 누구든 왕이 되려면 실적을 쌓아라! 공정한 셈법이 비류왕 여호기에게 있었다.

태자—

큰아들 걸걸이 태자가 되었다. 백성은 이에 크게 환영했다. 그동안 미루어 왔던 태자 즉위식을 해주었다. 즉위식은 성대했다. 이제 백제는 안정된 왕권 틀을 갖추게 되었다. 걸걸이 태자가 되고 걸서가 이 왕자가 되었으며 여설거는 삼 왕자가 되었다. 비류왕 여호기는 우선은 걸걸로 하여 태자를 세웠지만, 왕자들이 백제를 위해 큰 역할을 하기를 바랐다.

진정한 왕재는 실적이다—

나라와 백성을 위해 무엇을 하는지 보자. 왕자들의 충성 경쟁이 곧 백제의 부강을 만들어낼 것이며 이러한 경쟁만이 곧 실력으로 왕의 자리를 갖게 할 것이다. 단순히 무예만이 아니다. 세상을 보는 통찰력과 그것에 합당한 시대적 정신 소양을 가지

고 있어야 한다. 이런 비류왕의 의도는 왕비 하료를 불안하게
했다. 그냥 태자면 태자 책봉이지 무슨 끝말이 붙어 있는지. 다
른 왕자들에게 기회를 엿보라는 것으로 들렸다.

즉위식은 성대했다-

물산전도 잘 끝났고 우복의 반란도 토벌되었다. 왕자 여설거
의 활약이 눈부셨다. 설거는 큰 사상자 없이 반란 수괴인 우복
만을 없앴다. 자칫 했으면 한성백제의 내전으로 번질 뻔했다.
대륙의 설리가 준동할 수도 있었다. 이런저런 고민을 설거가 일
시에 해결한 것이다.

그런데 태자는-

여타의 인정할만한 공이 없는 태자에 대한 말들이 중신들 사
이에서 돌았다. 비류왕 여호기는 이를 노렸다. 태자즉위식을 하
게 해주었지만, 이것이 오히려 태자의 부족함을 나타내는 계기
가 되었다. 분발해야 했다. 큰 실적이 많은 왕자 여설거와 태자
에게로 힘은 양분되어 있었다. 비류왕이 의도한 대로 태자도 설
거도 한성백제의 모든 세력을 한곳에 모으진 못했다.

이제 열도는 어떻게 한다—

비류왕의 고민은 열도다. 대해부가에서 자신의 큰아들 걸걸, 태자와 연희를 맺게 해주자고 하면 좋은데…. 왕비 하료와 그 옛날 선화와의 일을 꺼내야 할지도 모른다. 특히, 대해부는 그러고도 남을 사람이었다. 그렇다고 대륙백제에서 호시탐탐 백제 왕위를 노리고 있는 설리의 딸을 다른 이에게 줄 수도 없었다. 설거는 더더욱 설리가 원하지 않을 것이었다.

태자가 좋기는 한데—

비류왕은 태자와 대해부가를 어떻게 해서든지 인연으로 엮으려 한다. 태자가 연희를 얻으면 정말 다행이다. 그러나 아니라면… 어차피 노회한 대해부가 있는 한 억지로 될 일은 아니었다. 대해부는 노련한 만큼 수가 많은 사람이었다. 오죽하면 과거 책계왕 시절에 설리 태왕손을 속일 계략을 펼쳤을까. 비류왕 여호기는 자신의 경우를 비추어 순리에 따라 결정되기를 바랐다. 대해부가는 비류왕 여호기에게 많은 생각을 할 수밖에 없는 곳이었다. 그런 생각으로 대해부가, 즉 열도 야마다에 대한 생각을 차일피일 미루고 있었다.

태자는 열도로 가라—

가서 백제를 넓혀라. 태자 걸걸에게 열도 남행을 명했다. 걸걸은 위(倭) 야마다 비미호 여왕 신녀에게로 보내졌다. 그리고 자연스럽게 태자와 연희 문제가 해결되기를 원했다. 비류왕 여호기는 태자가 스스로 힘으로 연희를 얻어내기를 원했다. 자신처럼, 즉 이번 열도 남행은 태자의 자질에 대한 시험무대가 되고 있었다.

"이제 태자가 해야 하오. 태자의 시대를 열어야 할 것이요."

시험하겠다. 태자가 제대로 할 수 있는지. 설거처럼 열도 남행에서 실적을 쌓을 수 있는지를 보겠다. 아예 대놓고 왕비 하료에게 말했다. 왕비 하료는 태자 즉위와 더불어 태자인 걸걸을 견제하는 비류왕을 보며 분통이 터졌다. 큰 고비는 넘었지만, 앞으로의 일 또한 만만치 않음을 알았다. 권력은 집중되면 반드시 탈이 난다. 그런 것을 비류왕은 왕으로서 이미 오래전부터 파악하고 있었다. 권력분산을 위해 비류왕은 왕비 하료와 적당한 거리를 다시 두기 시작한다. 왕비 하료가 태자의 즉위로 어떠한 일을 벌일지 모른다고 생각했다. 대권의 양도자가 결정이 나면 곧 왕의 가치는 삼분지 일 이상 상실한 것이다. 그래서 본인이 보아도 더 나은 걸서 왕자가 아닌 사람 좋은 걸걸을 태자로 올렸다. 그것이 한편으론 비류왕의 가슴을 아프게 했다. 그릇이 아닌데… 아닌 그릇이 분에 넘치는 자리에 오르면 탈이 난다. 비류왕은 걸걸을 보면 가슴이 메어졌다. 이번 열도 남행에서 연희라도 얻었으면… 하는 심정으로 태자를 대하고 있었다.

열도 남행-

왕자 여설거는 비류왕의 속셈을 읽고 있었다. 태자의 열도 남행에 일침을 놓아야 했다. 오래전 설거의 열도 행 때에 우복이 얘기해준 적이 있었다. 비류왕 여호기와 위(倭) 야마다 비미호 여왕 신녀(神女)의 이야기. 대륙백제 설리가 딸을 열도에 두게 된 이유도 우복을 통해 알게 되었다. 그래서 연희를 얼마나 얻고자 했는가. 그런데 태자 따위에게 줄 것 같은가. 우복이 예전부터 예상해왔었다. 태자는 반드시 걸걸이 될 것이다. 비류왕은 그런 사람이다. 우복이 얘기하고 또 해주었었다. 하료는 걸서를 선택하겠지만, 비류왕은 걸걸이다. 우복은 설거에게 그 대비책을 일러 주었다.

연희를 다 버리게 해라! 열도는 다음에 정벌해야 할 대상이다. 이런 얘기로 짜 맞추어져 있었다. 열도 대해부가는 힘 있는 자에게 붙는다. 힘. 백제에서 힘을 먼저 갖는 것이 훨씬 더 중요하다. 이것이 우복의 판단이었다. 설거 또한 그 판단이 옳다고 생각했다.

당분간 우복은 설거에게 연락하지 않을 것이다. 실상 우복의 반란은 왕비 하료와 비류왕 여호기의 견제와 의심으로 말미암은 우복의 계략이었다. 금선탈각지계(金蟬脫殼之計). 매미가 껍질을 벗어 두고 탈출한다는 병법이다. 껍질만 남기고 실체는 탈출하여 적을 유인하거나 역공을 취한다. 우복은 자결한 것처럼 꾸몄다. 흑천도 현녀가 중태에 빠지자 본거지인 선비 숙신으로 일부 철수했다. 우복의 무사들은 대륙백제를 거점으로 옮긴 것 같지만, 대다수는 한수(韓水) 이남 흑우가의 식읍에서 돌아올 날만 기다리고 있었다. 우복은 흑천의 백제 본거지도 흑우가 상단과 합쳤다. 한성백제에 있는 흑우가 상단 한성지점과 객점들 또한 설거가 장악하도록 했다. 흑천 서위를 통해서만 극비리 우복과 연락을 취하고 있었다.

토기에서 신무기를 보다−

여구는 전혀 다른 것에 정신이 팔렸다. 이번 물산전에서 토기에 푹 빠졌다. 토기에서 새로운 무기를 만들 수 있다는 것을 알았다. 토기는 일정한 힘이 가해지면 깨진다. 각 나라의 토기는 흙의 종류와 불의 세기에 따라서 또 겉을 어떻게 하느냐에 의해서 그 깨지는 정도와 담을 수 있는 것들이 다 달랐다.

토기에 기름을 넣은 것을 보았다. 기름 종지기와 술병을 보고서 여구는 그것을 이용한 신무기를 만들기로 했다. 과일 같이 둥글게 토기를 만들었다. 안에도 유약을 칠해 기름이 새지 못하게 했다. 주둥이가 작고 안으로 들어가 있어서 겉으로 봐서는 주둥이 있는 곳이 잘 보이지 않았다. 그 안에다가 짚으로 꼬아 만든 줄을 넣었다. 다시 기름을 채우고 그 줄이 나온 주둥이 구멍을 초로 메웠다. 그리고 밖을 다시 지푸라기로 얼기설기 쌌다. 토기로 만든 큰 사과 같았다. 무게도 적당했다. 2근은 족히 되었다. 처음에 스무 개를 만들도록 했다. 작은 것도 열 개 만들어 보라고 했다.

대해부 상단에는 여구가 단복과 함께 만든 경당에 신기술단을 운영하고 있었다. 신기술단은 크게 작목기술반과 기구기술반으로 나뉘었다. 작목은 곧 식량으로 가뭄 때 잘 자라는 식물과 그 식물을 먹을 수 있는 것으로 집중하여 연구하고 종자를 확보하는 것에 우선했다. 물과 뜨거운 햇볕에 강한 남만의 볍씨를 가져다가 가뭄이 들면 저수지나 큰 강에 뿌려두면 잘 자랐다.

빠르게 성장하여 추수할 수 있었다. 또 큰 덩어리 열매를 만드는 고구마나 밭벼, 조와 수수를 어떻게 언제 뿌리면 가뭄 때나 홍수 때나 더 나은 생산이 가능한지를 알고자 했다. 지역마다 달랐다. 더 빨리 자라는 것. 배추보다 더 빠른 것. 홍수 후에도 상추를 기르면 보름 후에 바로 채식도 할 수 있었다. 그런 것을 연구하게 했다. 더 중요한 일은 각지의 먹을 것이 많이 생산될 때 모아서 저장하는 방법을 연구하는 것이었다. 옛 단군조선의 선인(仙人)들이 생활에서 쓰는 방법들을 정리하기 시작했다. 말리는 법. 땅에 묻거나 발효 숙성시키는 것 등 각기 다른 나라들의 제 각각의 저장 방법들을 배워서 적용해보는 것도 작목기술반의 임무였다. 새로운 것은 무조건 그 기술을 알아낼 때까지 연구하게 했다. 기구기술반은 물품을 만드는데 앞장서고 있었다.

"사과 같네…"

"그렇습니까?"

"아니야. 남방 과일 같기도 하네. 이렇게 크고 높은 데서 나는 나무의 열매 말이야. 안에 과즙이 매우 달고 맛있는데…"

"예. 이 안에는 무서운 것이 들어 있습니다."

"뭔데?"

여구는 아무도 몰래 실험을 하기로 했다. 연희와 여강 그리고 몇몇 사람들만 데리고 갔다. 낮과 밤, 두 번 실험하자고 했다. 실험은 물가에서 했다. 그 과일 모양의 토기를 모아놓고 다들 물러가라 했다. 한낮에 먼저 실험했다. 여구가 작은 것을 몇 개 꺼내 놓고 불을 주둥이 줄, 즉 심지에 붙이자 초롱불처럼 그을음을 내며 탄다. 그것을 여구가 댓 걸음 앞에서 휙 던졌다. 바닥에. 자갈돌이 많은 곳에서 팍- 터지면서 순간 불이 확 번진다. 또 던진다. 그 옆, 또 불이 번진다. 물을 뿌려 보았다. 불이 더 커진다.

"기름이구나?"

"밤에는 무서울 것입니다. 불이 더 크게 보일 테니까. 그리고 이건 손으로 던질 수도 있지만…. 작은 대에 매달아서 이렇게 간단한 손 투석기를 만들었지요."

손 투석기. 사람 셋 크기의 창대에 바가지 같은 것이 걸려 있었다. 그 바가지 안에 작은 과일에 불을 붙여 넣으라 했다. 그리고 던졌다. 어른 보폭으로 50보 걸음은 훨씬 넘게 날아갔다. 픽 하고 역시 깨지면서 토기 안에 있던 기름과 짚이 불을 일으켰다. 더 큰 투석기를 만들면 300보는 너끈히 날릴 수 있을 것 같았다. 연희는 왜 갑자기 여구가 전쟁무기를 만드는지 몰랐다.

그러나 재미는 있었다.

"배에 이런 것을 날릴 수 있도록 한다면 해적들과 싸울 때 좋겠지요. 나무로 만든 배에 정통으로 한 두 개만 맞아도 아마 난리가 날 것입니다."

해적들—

여구가 만든 것은 먼바다 원정길에서 해적을 만나 싸우는 것에 대한 대비였다. 다른 생각이 있는지는 모르겠지만, 연희는 지금 저런 것을 만들고 즐기는 여구가 재미있다.

"저걸 잘 못 다루면 우리 배에도 불이 나겠다."

여강이 일침을 놓았다. 맞다. 그럴 위험도 있다. 그걸 방비해야 한다. 방법은 연구하면 나온다. 더 생각할 일들이 많다는 것이 여구를 즐겁게 했다.

"아직 해야 할 일이 많아. 그래도 이렇게 잘 깨지고 불을 멀리 던질 수 있잖아. 잘만하면 해적뿐 아니라 전쟁에서 무기로도 쓸 수 있을걸?"

이 말. 여구는 아직 자신이 생각해내는 이것저것이 어디에 어떻게 쓰일지 알지 못한다. 그러나 후일, 여구의 이러한 유용한 생각들은 백제의 운명을 크게 바꾸어 놓는다. 근초고군단(近肖古軍團) 전쟁 신화의 시작은 이렇게 어설픈 신기술에서 비롯되고 있었다.

大　커다란
三　삼을
合　합하면
六　육이고
生　만들면
七　일곱이고
八　여덟이며
九　아홉이다

六 육이고

정신(精神)을 다 버려 놓아야 한다. 육체(肉體)에는 흔적이 남지 않는다. 설거의 계략이 걸걸을 향해 있었다. 태자 걸걸의 열도 남행을 앞두고 술자리를 마련했다. 왕자들이 모여 크게 술자리를 벌였다.

"태자님의 이번 열도 남행을 경하드립니다."

"경하는 무슨… 갔다 와서 그 인사를 받겠네. 반드시 좋은 성과를 얻어 올 것이야."

"어떻게 해도 큰 성과가 있을 것입니다."

"어떻게 해도?"

"예…"

"열도에 가시면 한성백제와 달리 야마다에서는 아무 곳에서나 마음껏 여인을 취할 수 있습니다. 눈이 맞으면 열도의 여인들은 바로 옷을 풉니다. 특히, 태자님 앞에서 신궁의 여인들은 언제나 맞이할 준비가 되어 있을 것입니다. 그렇게 훈련이 잘되어 있습니다. 여왕의 딸이 더욱 그렇습니다. 그녀는 자신이 마음에 들면 다 그 품에 안깁니다. 아주 작고 탐스럽습니다. 그렇게 백제와 연을 맺지 못해 안달이 나 있습니다. 씨를 받아야 하니까요."

"그래?"

태자 걸걸은 원래 여인을 좋아했다. 사람 좋은 태자 걸걸은 호방한 비류왕 여호기의 일부 성격과 음탕한 하료의 열성인자들이 모인 것처럼 다른 것 보다 여인을 탐하는 일에는 따를 자가 없었다. 왕비 하료는 어렸을 때부터 훈육보다는 권력에 집착했다. 걸걸은 사가에서 시녀들 틈에 자랐다. 왕자가 되자 사내를 접할 수 없는 궁녀들 손을 탔다. 나이 든 궁녀들은 걸걸의 건장한 신체를 매만지면서 귀하게 대했다. 나이 든 궁녀들은 어린 걸걸을 데리고 자신들의 성적 욕구를 채웠다. 비록 교접은 아니었지만 어린 걸걸은 힘든 무예나 무술, 학문을 익히는 일보다는 여인들과 노는 것이 훨씬 즐겁다는 것을 알고 있었다. 그 점을 설거는 이용했다. 먼저 열도 남행의 경험을 지능적으로 왜곡해 걸걸에게 들려주고 있는 것이다.

여러 가지 전략−

설거는 게다가 두 가지 계책을 교묘하게 섞어 뿌렸다. 요언공명(謠言共鳴). 유언비어를 퍼뜨려 상대를 흔든다. 흔들리면 상대는 피해를 본다. 모략은 눈에 보이지 않는 칼이다. 말만으로도 상해(傷害)를 입힐 수 있다. 싸우지 않고도 적을 물리칠 수 있는 고차원의 계책이 숨겨져 있었다. 연희는 대가 세다. 차기 여왕. 단 하나뿐인 공주다. 야마다에서는 그 누구도 연희의 고집이나 성질을 꺾을 사람이 없다. 그리고 차분하다. 그 심중이 매우 깊고 눈썰미가 아주 훌륭하다. 그런 연희를 열도의 헤픈 공주로 만들어 버렸다. 태자는 그런 선입견을 품고 연희를 만날 것이다. 태자의 것. 언제든지 내게 안길 여자. 그러나 연희는 절대 그런 여자가 아니다. 단박에 알 것이다. 태자의 음흉한 눈초리. 그것을 본 순간 태자는 연희에게서 제외된다. 또 그러면 그럴수록 연희와 태자는 갈등할 것이다. 태자는 열도에서 고립된다. 그리 어렵지 않은 계략이었다.

"그 공주의 은밀한 곳에는 작은 점 하나가 있다고 합니다."

"그래?"

"그것을 살짝 매만지면서 손가락으로 돌려주면 매우 좋아한다고 합니다. 열도의 여인들은 성 교접 특히 백제 무사들과의 그것을 매우 원하고 있습니다."

"허허… 정말 그런가?"

열도의 여인들은 싸울아비에게 언제든 안길 준비가 되어 있었다. 옷 매듭만 풀면 그렇게 할 수 있는 이부자리를 어디에서든 펼칠 수 있었다. 그러나 연희는 다르다. 절대 그런 여자가 아니다. 그런데 설거는 그렇게 다른 야마다의 여인들 이야기에 연희를 끼워 넣고 섞었다. 걸걸이 연희를 아주 쉽게 보기를 바라며.

"꼭 그 공주를 품어 보십시오. 열 궁녀를 품은 것과는 다르다 합니다."

구밀복검(口蜜腹劍). 입으로는 달콤한 말을 한다. 하지만 속에는 칼을 감추고 있다. 불리함을 유리함으로 바꾸는 것. 목적을 위해서는 자신을 낮추고 상대를 추켜세운다. 달콤한 말로 적의 경계를 해이하게 만들면서 실은 칼을 대고 있다. 설거는 이미 칼을 태자에게 들이대고 있는 것이다. 걸걸은 열도 남행이 몹시 흥분되었다. 벌써 연희의 품속을 헤집고 싶어 안달이 났다. 설거가 냉소를 보였다.

태자의 열도 남행에 대해부가의 감독관이었던 흑천 서위가 좌장으로 다시 수행하게 되었다. 설거의 천거가 있었다. 남행이나 열도 풍습을 잘 아는 흑천 서위 일행이 태자 수행의 적임이라는 추천에 태자 걸걸은 그러라고 했다. 아는 사람이 있어야 즐길 것은 즐기고 조심할 것은 조심할 수 있었다. 태자는 자신이 수행을 명한 것처럼 해서 흑천 서위 일행을 남행 길에 동행하게 했다. 흑천 서위는 오랜만에 여강을 만날 수 있어서 좋았다. 여강. 더 늠름해지고 강해졌을 것이다. 여구도 궁금했다.

"너는 누구냐?"

흑천에서 노환으로 죽음을 앞둔 현녀를 보살피던 한 여인의 소지품을 보고 우복은 당황했다. 그녀. 흑천 서위가 고하 소도를 습격했을 때 칼등으로 내려쳤던 여인. 죽이려다가 가지고 있는 물건이 남달라 잡아둔 그 여인. 바로 우아였다. 여강과 여구의 어미. 우아가 살아서 흑천의 비밀기지에 있었다. 우복은 이제 흑천의 수장이 되었다. 한성백제에서는 죽었지만, 흑천에서는 살아 있는 신(神)이 된 것이다. 그런 우복에게 행운의 여신 같은 이가 바로 우아였다. 아니 우아가 가지고 있던 것 바로 그것이 한성백제를 일시에 흔들어버릴 증표였다. 우복은 안다. 우아가 가지고 있는 것. 한참을 생각해야 했었다. 이 물건 어디서 봤나. 뛰어난 식견(識見)을 가지고 있던 우복이다. 미루어 짐작하고 생각하고 맞추고… 어디서 보았나. 그 옷감. 한성백제. 반도의 것도 대륙의 것도 아니었다. 열도… 그 피가 엉긴 옷. 거기 글이 적혀 있었다. 그 글씨. 언젠가 비류왕 여호기한테서 들은 얘기가 떠올랐다. 그녀의 속옷 치마에 아기의 이름을 남겨 놓았다고 했다. 옛 단군조선… 단군조선 시대의 가림토 신대문자로써 놓았다고 했다. 그것이 우복의 눈앞에 있었다. 이 옷, 선화의 유품이었다.

그러나 문제가 있었다—

흑천 서위의 칼등에 맞고 머리에서 피를 많이 흘린 우아는 과거를 잊었다. 아무 기억도 하지 못하고 있었다. 오직 마— 마—만 할 수 있을 뿐이었다. 마—. 이게 무슨 뜻인가? 하여튼 단 한 가지 선화의 단서를 찾았다. 비류왕 여호기가 그토록 원하던 바로 그 단서가 흑천에 있었다. 흑천 서위도 우복도 안다. 왕비 하료가 시켰다. 자객을 시켜 선화를 죽였다. 이제 그 일이 다시 꺼내질 수 있었다. 구체적으로 비류왕을 분탕시킬 증거와 증인이 있었다. 이 여인의 잃어버린 기억을 되살릴 묘안을 찾으면 될 일이었다. 됐다.

어미가 살아 있다―

그것은 행복이다. 그러나 연희는 그것이 미안했다. 위(倭) 야마다 비미호 여왕 신녀(神女) 인화의 사랑을 듬뿍 받는 자신이 여구를 보면 미안해졌다. 그런 것. 연희는 여구를 사랑한다. 더 가까이 가지 못한다. 신분이 다르다. 여구는 여강도 연희를 흠모하고 있고 백제와의 관계 속에서 열도 야마다가 취해야 하는 처지도 벌써 이해하고 있었다. 노회한 대해부가 만약을 위해 여구에게 일러둔 야마다 여왕 신녀의 처신에 대해 듣고 알고 있었다. 문제는 연희가 한 명뿐이라는 사실이었다. 대륙백제의 설리 일로도 열도 야마다는 한성백제의 견제를 받아야 했다. 비록 비류왕이 지금까지는 버티고 있지만, 비류왕 이후는 어떻게 될지 모를 일이었다. 더욱이 백제 책계왕 시절 내신좌평 진루와 대해부는 조약을 맺었었다. 백제와 야마다 왕실의 후계자는 서로 혼인한다. 백제 왕실과 야마다만의 비밀조약. 이 비밀이 연희에게는 족쇄나 다름없었다.

"너 뭐해?"

여구는 한성백제에서 돌아온 이후 계속 투석기를 만드는데
온 정신을 쏟고 있었다.

"좀 더 멀리. 좀 더…"

마가(馬家) 백제 기구기술반은 요즘 죽을 맛이었다. 여구의
닦달이 날이 갈수록 심해졌다. 단복은 지쳐서 매일 도망치려 했
다. 여구는 단복을 지겹게 쪼아대며 따라다녔다.

"딱 3백보만 넘겨줘."
"야! 왜 또 3백보야. 벌써 2백보는 넘었는데…"
"3백은 되어야 뭔가 해보지"
"뭘 해볼 것인데…"

도무지 알 수가 없다. 여구의 뜻 모를 요구에 단복도 기가 질
린다. 여구는 새로운 것을 만드는데 흠뻑 빠졌다. 요즘 들어 무
술보다도 더 관심 있는 것이 크게 두 가지다. 새로운 기구 만드
는 것과 옛 단군조선의 의술 분야였다. 그것도 매우 생소한 것
이었다.

"이렇게 살살 돌리면…"

"돌리면…"

"변합니다. 잘 변하게 됩니다."

"뭘 돌리고 뭐가 변한다는 것이야. 그게…"

여구가 말하려다 끊었다. 연희였다. 갑자기 연희가 나타나 대화에 끼어들었다. 연희가 물어오자 대답하기가 곤란해졌다. 그래서 화제를 바꾸려고 했다.

"모든 것이 오행입니다. 다섯 근원의 운행… 즉 서로 합(合)하고 충(沖) 하면서 움직이는 오행으로 말미암아 변하게 됩니다."

"그러니까 뭘 돌리면 어떻게 변하는데…"

"아, 그게…"

대답하기 곤란한데. 연희는 자꾸 물어온다. 이걸 어찌 설명해야 하나. 그래서 급히 또 화제를 바꾼다. 뭔가 이상했다. 연희는 여구의 난처한 얼굴을 처음 보는 것 같았다. 호재였다. 여구가 어려워한다. 그 기회를 연희가 놓칠 수 없었다.

"뭘 돌려? 뭐가 변해?"

"그게 말입니다. 이렇게 아픈 곳을 돌리면 병이 낫는다는 말입니다."

　말인즉 그랬다. 원래는 아픈 곳이 아닌 여자의 성감을 높이는 방법을 얘기하려던 것인데 연희가 갑자기 다가와 묻자 화제를 급히 의술로 돌렸다.

"머리 관자놀이 부근에 손가락을 대고 누르면서 오른쪽으로 수(水) 목(木) 화(火) 토(土) 금(金) 수(水)… 하며 열다섯 번 돌리고, 반대쪽으로 다시 열다섯 번 돌리면. 머리 아픈 곳이 낫게 됩니다."

　머리 아플 때 손가락으로 눌러서 돌리는 것. 그걸 누가 모르는가. 그걸 천하의 여구가 제대로 설명을 못 한다. 이게 아니다 싶었다. 연희는 그래서 몸을 바싹대고 질문을 해댔다.

"그게 다야?"

"아, 아닙니다."

"그럼?"

"이런 원리로 아픈 사람들의 부위를 돌려서 지압을 해주면"

"해주면?"

"병을 고칠 수 있습니다. 손가락만으로…"

"어째서?"

"그냥 그렇습니다."

옛 단군조선의 약 선인 초로가 자신의 옆구리, 즉 복막염(腹膜炎)을 낫게 해준 추궁과혈(椎躬過穴) 타혈(打穴) 방법을 쫓아 온갖 서책을 다 뒤진 결과였다. 혈 자리를 침이나 뜸이 아닌 손가락 지압을 이용해서 하는 방법. 옛 자료가 있어야 했다. 그런데 놀랍게도 옛 단군조선 임금님께서 전수하셨다던 어린아이 기르는 법에 있었다. 곤지곤지, 잼 잼. 곤지… 손가락으로 찌른다. 할미 손이 약손이다. 칠성님께서 나서준다. 아이 배를 오른쪽으로 손으로 돌리면서 쓰다듬는다. 할미는 머리가 아프면 엄지손가락으로 누르면서 돌린다. 그러면 곧 아픔이 사라진다. 그 원리. 그 침과 뜸 자리에 여구는 지압을 사용하여 병 치료를 하고 있었다.

옛 단군조선의 선인들과 무사들이 지혈과 지압, 기(氣)를 전수하는 방법 등을 다 혼합했다. 이러한 방법은 고하(古下) 소도(蘇塗)에서 알아주는 난봉꾼 원재가 제일 먼저 발견했다.

신기하다―

　여구에게 해보라고 했다. 연희에게는 말 못하지만 그 방법을
쓰면 여자들이 픽픽 쓰러진다고 했다. 그냥 두 다리를 벌려서
자신을 받아들인다고 했다. 살살 돌리기만 하면 된다. 오른쪽으
로 열다섯 번 왼쪽으로 열다섯 번, 회음부도 아니었다. 양손 가
운데손가락 아래, 무릎. 꼬리뼈 있는데… 몇 곳 여인네의 중요한
음 혈 자리를 가만히 돌려주면 여자의 목소리가 콧소리로 변하
고 얼굴이 발그스레해지며 눈이 풀린다. 그리고 살금살금 돌리
고 또 돌리면서 여인의 은밀한 곳으로 가면 된다. 그러면 그냥
된다고 했다.

　그 원리로 손가락에 힘을 주고 돌리니까―

　소갈 등에 걸려 입에 침이 마른 사람은 입 주변과 침샘이 있
는 곳을 몇 날에 걸쳐 돌리면 나았다. 침이 질질 흘러나왔다.
그렇게 소갈(消渴) 병(病)도 고쳐봤고, 황달(黃疸)도 고쳐봤다.
초로가 가르쳐준 대로 침이나 뜸을 뜨던 각각의 혈 자리를 따
라 돌리면 침이 무서운 아이도 뜸의 흉터가 싫은 사람도 나았
다. 원재를 시켜 실험하고 또 했다. 그 병 고치는 방법은 원재
가 여구에게 가르쳐 준 것이었다. 그래서 여구는 지금 그 이유

를 밝히고자 했다. 우선 좋았다. 침도 뜸도 필요 없이 고칠 수 있게 된다. 부작용도 없다. 침과 뜸을 잘못하면 부작용도 만만치 않다. 손가락 지압은 그에 비해 부작용이 없다. 여구는 손가락을 돌려 병을 고칠 수 있는 것이 오행이 운행하는 원리와 관계가 있다는 것을 연구해 알게 되었다. 그런데 그 이유. 다른 이에게는 몰라도 연희에게는 설명하기가 어색했다. 설명할 수 없었다. 그저 킥킥. 모르는 연희와 아는 여구, 단복, 원재는 그렇게 웃고 말았다. 그것이 연희를 골나게 했다.

"말해줄 때까지 너도 무시다!"

정말 무시당하는 것 같았다. 한성백제에서 보름 반에 걸려서 큰 파도를 건너왔다. 아직은 날씨가 추웠다. 포구에서 언덕 너머 보이던 야마다 신궁(新宮)까지 오는 길에 많은 백성을 보았다. 그 백성. 백제인을 정말 좋아하는 것 같았다. 무사들을 보면서 대놓고 요염을 떠는 여인들. 그 눈빛들을 태자 걸걸은 보았다. 곧 꽃구경이 있을 것이라 했다. 봄꽃이 만개하면 여인들은 산과 들로 나간다. 숲 속과 들판에서 무사들은 무수한 여인을 고를 수 있다고도 했다. 태자 걸걸은 한껏 들떠 야마다 신궁으로 들어왔다.

대해부가 맞이했다―

대해부는 몸을 움직이기도 어려울 정도로 노쇠했다. 이어서 비미호 여왕 신녀가 나왔다. 그런데 아직 차기 여왕은 보이지 않았다. 그런 태자 걸걸을 보면서 대해부의 눈에 실망의 빛이 역력했다. 대해부가 보았었다. 태자 걸걸이 어렸을 때 백제 내신좌평 진루의 집에서 보았던 비류왕 여호기의 큰아들. 자란 모습을 보면서 역시 하는 생각이 다시 들었다. 아무 눈치도 못 챈 걸걸은 들떠 있었다. 열도 남행에 일국의 태자가 뭐 즐길 것 없나. 잔뜩 기대하고 연방 궁녀들을 쳐다보고 있었다. 늙은 대해부는 날카로웠다. 주름진 얼굴에 두껍게 내려앉은 눈꺼풀 속에서 눈알이 반짝이며 태자 걸걸을 살피고 실망하고 있었다. 인화도 마찬가지였다. 태자 걸걸은 연희가 나타나지 않는 것에 드러내놓고 불만인 기색을 보였다. 조금 후에야 얼굴에 하얗게 화장한 연희가 나타났다.

"인사드립니다."
"예… 백제 태자 걸걸입니다."
"한성백제 고마성에서 뵈었습니다."
"…?"

언제 보았다는 것인지. 태자 걸걸은 언제 연희를 보았는지 통 기억이 없었다. 연희는 물산전을 위해 대해부가 행수로써 왕비가와 바깥 궁에 출입했다. 그때 행사 단상에 있던 왕자 걸걸을 보았다. 걸걸은 궁녀들과 장난을 치고 있었다. 태자 걸걸이 그런 연희를 알아볼 수는 없었다. 하얀 분칠을 가득한 연희의 본얼굴을 알 수가 없었다. 형식적인 만남. 잠시뿐이었다. 연희는 태자 걸걸에 대해 아무런 관심조차 없었다. 그것이 대해부와 인화에게까지 표시가 났다.

거참, 쉽게 다 준다더니─

태자 걸걸은 설거의 말을 되새김질해보았다. 그렇게 분명히 말했다. 다 준다고 했다. 더구나 백제의 태자가 아닌가! 실제로 그런가? 시험이 하고 싶어졌다. 연희를 다시 만나야 했다. 호위장과 호위좌장하고도 관계가 있다고 했다. 발정이 난 암캐처럼 열도의 차기 여왕은 남자만 보면 몸을 들이댄다고 했다. 그런데 자신만 아니다. 왜 나만? 이라는 생각이 들었다. 궁녀들은 한성 백제에서도 자신이 부르면 즉시 온다. 그러나 벗지는 않는다. 그러다가 걸리면 왕비 하료에게 죽음을 면치 못할 것이었다. 특히, 태왕후 하미와 우복의 비밀 정사가 소문이 나면서 왕비 하료는 걸걸과 걸서 왕자에게 궁녀나 궁에서의 행위를 절대 금했다. 그래서 열도 남행 내내 여인 생각뿐이었다. 태자 걸걸은 열도의 여인을 느끼고 싶어서 안달이 났다.

야마다 신궁에서 고위급 사신을 접대하기 위해 잘 교육된 귀족 출신 젊은 궁녀들로 하여금 태자 걸걸을 맞게 했다. 그 궁녀들이 사향(麝香) 냄새를 풍기며 태자 걸걸을 맞이하고 있었다. 태자 걸걸은 꿩 대신 닭이라고 궁녀 한 명의 손을 잡았다. 궁녀는 쉽게 안겨들어 왔다. 천인(天人) 대해부의 엄명이 있었다. 백제 태자를 무조건 품어라! 큰 상을 내릴 것이다! 궁녀는 그 명에 따르고 있었다. 게다가 백제 태자의 품에 안긴다는 사실이 기뻐서 기꺼이 명을 받들고 있었다.

"네 살결이 곱구나…"

옷 매듭을 풀자 정말 바로 이부자리가 되었다. 태자는 더욱 흥분해 침소고 아니고를 따지지 않았다. 그저 수캐였다. 발정이 난 수캐가 암컷을 그저 노리듯 덤볐다. 태자가 머무는 궁의 처소에는 사방에 문이 있었다. 그 문마다 뒤에 궁녀들이 여럿 있었다. 그 궁녀들이 그런 태자를 보면서 더욱 침을 삼키고 있었다. 신분이 바뀌는 것이다. 태자를 품은 궁녀들은 이제 따로 대우받을 것이다. 신분상승의 절대 기회. 같은 생각으로 궁녀들이 태자의 손길을 기다리고 있었다. 태자의 씨라도 받으면 즉시 최상위 신분이 된다. 모두 들떠 있었다. 제발 내 손도 잡아 주시길.

그래서 태자는 좋았다―

사흘 동안 내리 열 명의 궁녀를 품었다. 설거의 말이 옳았다. 손만 대면 풀쑥 쓰러져 들어왔다. 게다가 씨를 받기 위해 애를 쓰는 것이 역력했다. 한 번 두 번. 만족하지 않았다. 자신의 모든 것을 다 받으려는 듯 온몸으로 받들고 있었다. 그것이 그렇게도 태자를 기쁘게 했다. 태자는 궁녀 하나하나 두세 번씩 자신의 사내다움을 각인시키려 품고 또 품었다.

"열 명이냐?"
"예."
"그래 알았다. 계속 지켜보거라."

벌써 열 명이다. 열도에 와서 이제 겨우 사흘이다. 태자 걸걸의 행동이 대해부의 눈살을 찌푸리게 했다. 제 몸 하나 제대로 가누지 못할 놈이다. 그런 태자. 씁쓸했다. 이 소문은 곧 연희에게도 들어갈 것이다. 아니 벌써 알고 있는지도 모를 일. 연희는 백제 후계자와 혼인을 해야 하는데 저 태자, 연희의 남자가 될 인물이 못된다. 연희가 죽어도 싫다고 할 것이었다.

휴―

그에 비하면 여구는 물건 중의 물건이다. 야마다 천인(天人) 대해부의 시름이 깊어간다. 곧 자신의 수명이 다할 것이다. 대선사라도 나타나 이런 난제 풀어 주었으면 하는 기대도 해보았다. 그럴 수 없었다. 대선사를 수소문해도 나타나지 않았다. 예전과 달랐다. 신호를 보내면 몇 개월 후에는 나타났다. 그런데 벌써 몇 년째다. 어디서 죽었던가, 아니면 신선이 되었든가 했을 일이다.

오늘은 다 파보리라―

대해부는 드디어 결심해야 할 때라고 생각했다. 초로와 단복을 불렀다. 바둑을 거하게 둘 셈이었다.

大 커다란
三 삼을
合 합하면
六 육이고
生 만들면
七 일곱이고
八 여덟이며
九 아홉이다

生 만들면

흔히 아가들에게 하는 놀이다. 고개를 절레절레 흔들고. 도리도리를 하고, 손바닥을 치면서 짝짜꿍한다. 손가락을 다른 편 손바닥에 대면서 곤지곤지를 한다. 그리고 손바닥을 폈다가 오므리면서 쟁쟁, 까꿍 소리를 내면 아이가 웃는다.

단군조선에서 내려온 이 놀이는 과거 왕족들의 자녀 훈육방식이다. 이른바 단동십훈(檀童十訓). 여기에서 여구는 곤지를 알았다. 운동이다. 교육이고 의료였다. 곤지는 곧 숨겨진 단군조선의 비기(秘記)였다.

단동십훈으로 적혀 있는 그 글자에 고스란히 담아져 있었다. 도리도리(道理道理). 천지 만물이 하늘의 도리로 생긴 것처럼 너도 자연의 섭리를 잊지 말라 하는 뜻이 아닌가. 지암지암(持闇持闇). 잼 잼은 세상의 밝고 어두운 것을 가리라는 뜻이다. 곤지곤지(坤地坤地)는 땅을 보라는 것이다. 손바닥 한가운데를 찌른 이유. 거기 땅의 기운이 만물에 깃들듯 음양의 조화가 있다는 비밀열쇠였다. 짝짜꿍, 작작궁작작궁(作作弓作作弓). 궁궁을을(弓弓乙乙). 태극이다. 대동이족(大東夷族) 최대의 무기인 궁(弓)을 만들고 이를 가지고 놀 손이다. 깍−궁은 각궁(角弓)이다. 다른 누구도 모르는 각궁(角弓)의 비밀이 이렇게 계속 이어져 온 것이다. 그 어린아이들을 가르치는 손을 통해 옛 단군조선의 비밀이 이어져 온 것이다. 여구는 이 단동십훈이 적힌 목걸이의 비밀을 풀고 있었다.

　비기(秘記)다−

　여구는 그렇게 생각했다. 돌리면 나을 수 있었다. 땅의 기운이 만물에 깃들듯 돌리면, 하늘과 땅의 조화로 이루어진 사람의 몸에 땅의 기운, 즉 대지이며 물질이며 조직의 세포가 반응할 것이다. 그리 생각했다. 우주의 회전방향. 하늘 별자리의 회전방

향을 정(正)으로 하여 그 반대를 반(反)으로 하니, 오른쪽은 기(氣)를 조여 넣는 것이고 왼쪽으로 돌리는 것은 기(氣)를 풀어 이완시키는 것이다. 곤지. 그 돌리는 것에서 병 고치는 원리가 있었다.

손바닥에 있었다. 오장육부에 해당하는 신경이 연결되어 있다. 주먹을 쥐면 셋째 손가락이 닿는 부분, 거기 피로의 집인 노궁(勞宮) 혈이 있다. 이를 손가락으로 툭툭 치는 것이 곤지다. 곤지는 피로를 풀어준다. 기(氣)를 통하게 해주는 것이다. 그것이 바로 곤지다. 이를 뜸과 침의 혈 자리에 통기법의 원리와 음양오행의 삼태극 원리를 합한 것이 바로 지금 여구가 연구하고 있는 곤지압 방법이다. 실로 놀랍다. 손가락으로 눌러 돌리면 침보다 뜸보다 더 강한 자극이 온다. 그 혈 자리와 연계되어 아픈 곳은 그 연계된 오장육부가 상(傷)해 있는 경우가 많다. 아프다는 것은 통기가 잘 안 된다는 것이다. 그래서 안 아픈 곳은 돌리면 아프지도 않고 졸려온다. 통기가 잘되니 그렇다. 혈 자리를 꾹- 눌러봐서 아픈 곳, 거기를 오른쪽으로 왼쪽으로 돌리면 더욱 아프다. 그러나 돌리고 나자마자 바로 시원해진다. 풀린다. 그리고 곧 그 연계된 아픈 곳이 점차 나아진다. 참 신기하다.

짝짜꿍에 활이라고 하는 최고 신무기의 비밀이 숨어 있었다. 각(角)이다. 뿔- 만곡궁(彎曲弓)인 각궁(角弓). 실로 위대한 발명 중의 발명이었다. 아주 오랜 옛날부터 수만 수천 년 동안 목궁(木弓)을 사용해 왔다. 그런데 치우(蚩尤) 천왕(天王)께서는 각궁이라는 복합소재의 활을 만들어 낸 것이다. 작다. 가볍다. 자연의 여러 소재에서 최상 최고의 활이 만들어졌다. 단군조선 시대 거기에 각궁이 있었다. 대륙 남쪽의 남만에 사는 물소 뿔을 활용해 탄성이 엄청난 예맥 각궁이 만들어졌다. 그 각궁을 새롭고 새롭게 만들라는 것이 단군임금님들의 왕자 교육의 핵심이었다.

활은 전쟁에서 필수적인 무기다. 이 활이 칼보다 더 효용이 높았다. 활쏘기는 역대왕조에서 얼마나 중요했을까? 가장 뛰어난 활 제조기술을 가진 자들이 곧 지배자였을 것이다. 가장 멀리 날려서 살상할 수 있는 활을 가진 나라. 그래서 동이(東夷)다. 활 때문에 대동이족이 천하를 지배할 수 있었던 것이다. 즉 100보 거리에서 살상할 수 있는 활과 300보 거리의 그것과는 분명히 다르다. 그런 활을 만들어야 했다. 300보 넘게 날아가 적을 죽일 수 있는 활. 그 활과 화살은 곧 국력이었다. 그 비밀이 있었다. 여구는 각궁(角弓). 다시 말해 각(角)에 활의 탄성이 있으며 그 활을 만드는 비법이 숨겨져 있다고 보았다. 이것이 적혀 있었다.

"다 봤어?"

"어!"

"거참. 넌 그 목걸이에 쓰인 말이 무슨 뜻인지 알겠어?"

"초로가 가르쳐 주었잖아."

"그래도 그 얘기가 무슨 말인지…"

"이 비밀 대단한 거야."

"뭐가?"

"아니야. 다음에 만들면 가르쳐 줄게…"

여구는 여강에게 목걸이를 넘기면서 말을 끊었다. 그 목걸이 어미 우아가 형에게 주었다고 했다. 어린 시절 자신에게는 왜 안 주느냐고 따졌었다. 초로가 가르쳐 주었다. 그 귀한 목걸이 는 네 엉덩이에도 있다. 거울을 가지고 몸을 틀어 보았다. 거기 있었다. 목걸이. 옥으로 되어 있는 그 목걸이 문양이 문신으로 새겨져 있었다. 단동십훈(檀童十訓)이었다. 그래서 여구는 그 글 뜻을 풀고자 애를 썼다. 우연히 원재가 돌리는 것에서 병을 고칠 수 있다는 것을 가지고 그 뜻을 해석하기 시작했다. 그래 서 알게 되었다. 그것은 옛 단군조선의 비기(秘記)였다.

하늘과 땅과 사람의 도리를 아는 것, 곤지. 땅의 기운을 받는다. 각궁. 뿔을 섞고 다른 재료들을 합해 더 강한 활을 만든다. 옛 단군조선이 그 광활한 영토를 지배할 수 있었던 이유다. 그래서 아래 임금님이 그 일을 게을리할까 보아 아예 교훈으로 만들었다. 왕자가 되면 그 일을 반드시 해야 했다. 천지 만물의 법도와 이치를 살피고, 어둠과 밝음, 음양 조화와 도덕을 알며, 땅과 흙을 이용하는 법을 알게 했다. 그리고 건강을 지키고 전쟁의 신무기 개발을 독려했다. 그 비밀. 계속 여구는 풀고 있었다.

봄바람이 불자─

봄꽃이 만개했다. 한성백제 고마성에도 봄 향기를 쫓아 꽃 바람 든 궁녀들이 괜스레 엉덩이를 씰룩거렸다. 봄 향기. 밤꽃과 배꽃이 활짝 피면 그 냄새가 여인들을 홀린다. 남자의 정액 냄새와 같은 그 냄새를 맡으면 사내 경험이 있는 여인들은 수태를 꿈꾼다. 그래서 봄날의 향기는 벌도 유혹하고 여인도 사내를 유혹한다.

유혹─

왕비 하료는 비류왕을 유혹하고 싶어도 할 수가 없다. 이미 나이가 차고 있었다. 여인으로서는 끝나갔다. 자신이 심란했다. 한탄스러웠다. 봄날이 오면 왕비 하료의 우울증이 심해졌다. 풀잎을 태워 심신을 달래야 했다. 아비 진루도 고령으로 고통스러워했다. 대마를 피웠다. 조금 노곤해진다. 왕비 하료 역시 약에 취해 산다. 심란함이 더해지면 궁녀들을 다그친다. 정분이 났다고 궁녀를 발가벗겨 아랫도리를 살피고 기분이 나빠지면 불로 지지기도 했다. 왕비 하료의 성 도착증은 점점 심해지고 있었다.

비류왕 여호기는 무인이었다. 그러나 왕이 된 이후 활쏘기와 말타기를 제외하고는 움직일 공간이 없었다. 봄날이면 들판에서 산에서 가득 피는 들꽃들 냄새를 맡아야 하는데… 왕이 된 이후로 그런 날들이 사라졌다. 분서왕이 태자 시절. 우복과 함께 셋이서 다니던 사냥이 그리웠다. 그래서 움직여 보기로 했다. 설거에게 차비를 시켰다.

봄날−

비류왕 여호기는 봄꽃 사이에서 선화를 느끼고 있었다. 옛 대해부가 상단이 있던 곳으로 향했다. 그곳에 잠시 머무르기로 했다. 대해부가 상단은 매우 놀랐다. 길을 지나치면서 왕이 들른 것이다. 행수도 없는데 대해부가 상단은 비류왕이 머물게 되자 당황했다. 비류왕 여호기는 잠시 선화의 체취를 느끼고는 다른 이들이 마음 쓰는 것에 몸을 움직이려 했다. 그런 비류왕을 보고 설거가 뭔가 주저했다. 비류왕의 눈치에 설거가 계속 무슨 말을 하려다 말고 망설이고 있는 것이 느껴졌다.

 "뭔가?"
 "그게…"
 "뭐 할 말이 있는가?"
 "여기와 관련이 있는 것 같아서 조사하는 것이 있습니다."
 "무어라? 조사? 대해부가 무슨 잘못을 했는가?"
 "아닙니다. 아주 오래전 왕께서 알아보라 시키신 일과 관련이 있는 듯해서 조사해보고 있습니다."
 "그게 무언가?"
 "피묻은 옷을 하나 발견했습니다. 그 옷을 가지고 있던 여인은 기억을 잃어 아무것도 알지 못합니다. 거기 글씨가 쓰여 있는데 알아보지 못하게 피와 누런 얼룩이 엉겨 붙어 있었습니다. 하나는 여인의 것이고 하나는 아이의 것일 수 있다고 했습니다. 아마 양수와 함께 피가 묻어난 것으로 보면 아기를 낳다가 죽은 듯싶은… 그 옷이 한성백제의 것이 아니었습니다. 열도의 것

이라 이곳에서 알아봤습니다. 아주 귀한 옷입니다. 옛 행수가
입던 옷이라 했습니다. "

옛 행수의 옷-

옛 행수? 선화다. 비류왕은 그 순간 선화의 옷에 글씨를 써준
것이 생각났다. 구야. 어서 나오너라. 건강하게 있다가 어서 나
오너라. 선화의 속 치마에 그렇게 글을 써주었다. 글이 쓰인 피
묻은 옷. 머리카락이 곤두서고 온몸에 소름이 돋았다. 비류왕은
몸이 덜덜 떨렸다. 드디어 선화의 일이 밝혀지는구나.

"가져와라. 어서!"

소리쳤다. 빨리 가져와라. 내가 보리라. 내가 보면 안다. 나는
안다. 내가 그 옷을 보아야 한다. 그 여자도 데려오라. 아니 내
가 지금 가겠다. 그 여자가 있는 곳. 그곳으로 가자. 어서. 가
자!

비류왕이 먼저 움직였다. 급히 말을 대령하라고 했다. 설거는
왕이 너무 서둘러서 당황했다. 그래도 할 수 없었다. 왕의 명에
따랐다. 왕자 설거는 중앙 성부 별채에 우아를 데려다 놨었다.

그 우아가 있는 곳으로 왕이 달려갔다.

　선화―

　살아 있을 수도 있다. 기억을 상실한 그 여인이 선화라면….
제발 선화이기를… 기억을 잃었어도… 내가 살릴 것이다. 급히
달려갔다. 비류왕 여호기가 말을 달려 군사들보다 더 빠르게 중
앙 성부 별채에 당도했다.

　아니다―

　선화가 아니었다. 그녀를 보고 순간 비류왕 여호기는 힘이 빠
져버렸다. 말할 수 없는 실망. 잠시 후 호흡을 가다듬고 여인을
보았다. 여인은 멍했다. 가만히 있는 그 여인은 마치 넋이 빠져
버린 것 같았다. 이름이 무어냐? 라는 질문에만 답했다. 우아.
그리고 아무 말을 하지 않았다.

　옷―

　여인의 소지품이 도착했다. 그 증거. 그것을 보고 비류왕 여
호기는 충격을 받았다. 선화 것이다. 선화와 자신이 봄나들이

다니면서 입던 대해부가의 행수 복장이었다. 칼로 베인 흔적. 상처를 먼저 입은 듯 했다. 그 옷, 그 안. 속옷에 선명한 핏자국. 덕지덕지 붙은 시커멓게 변한 핏덩이들이 가림토 신대 문자로 써놓은 글에 엉겨 붙어 있었다. 자신이 썼다. 그 글. 아이에게 어미에게 그렇게 써주었었다. 그 글에 선화의 피가 엉겨 있었다.

"두 사람의 피라 했느냐?"

"예. 하나는 여인이고 하나는 아이랍니다. 아이를 낳고 탯줄을 자를 때 태반과 양수의 흔적이 묻은 듯합니다.

아이가 태어났다. 선화가 사라지고 아이도 없다. 그러나 이제 한 가지 사실은 분명하다. 아이가 태어났다는 것. 저 여인. 기억을 되살리면 그 아이. 지금 어디에 있는지 알 수 있을지도 모른다. 다만 왕비 하료가 이 사실을 알면 다시 저 여인도 없애려 할 것이다. 비류왕 여호기는 설거에게 단호히 일렀다.

"네 목숨을 걸고 저 여인을 지켜라! 그리고 기억을 되살려라! 누구에게도 이 일을 발설치 마라. 네게 모든 것이 걸려 있다. 알겠느냐. 무엇보다 우선해서 이 일을 처리하라. 만약 이를 거역하거나 거스르는 자가 있으면 즉시 내게 알려라. 누구도 용서

하지 않겠다."

비류왕의 살기 어린 엄명에 설거는 순간, 기가 질렸다. 비류왕이 이렇게 굳은 표정을 짓는 것을 본 적이 없었다. 우복을 토벌할 때도 이런 살기는 아니었다. 의제인 우복을 토벌하는 모습에서도 여유가 있었다. 암살자들이, 자객이 바로 눈앞에서 덮쳤어도 비류왕 여호기는 흔들림이 없었다. 그런데 오늘 비류왕 여호기는 달랐다. 우복의 말대로 이 비밀은 비류왕 최대의 약점일 수도 있었다. 왕비 하료와 비류왕이 결정적으로 갈라서고 서로 증오하는 최고의 약점이었다.

평지풍파―

그랬다. 우아가 가지고 있던 선화의 흔적은 한성백제에 숨은 폭발물이었다. 비류왕은 그 일에 조바심을 냈다. 하지만 일의 실마리는 쉽게 풀리지 않았다. 설거의 처소 별채에 있는 우아의 차도가 나아지지 않았다. 우아를 옮겨야 했다. 대천관 신녀 신궁으로 옮기고자 했다. 그러나 왕비 하료가 문제였다. 이를 확고하게 정리해놓지 않으면 하료가 우아를 죽이려 할 것이었다.

설거는 왕비 하료에게 우아의 소지품 하나를 건넸다. 그리고 그간의 일을 설명했다. 비류왕이 그 옷을 보고 대해부가 상단의 옛 행수의 옷임을 확인했다고도 했다. 두 사람의 피에 대해서도 말했다. 그러자 왕비 하료의 입술이 실룩거렸다. 그 년. 그 열도의 행수가 살아난다. 비류왕 여호기의 마음에서, 한성백제의 권력에서 죽었던 그 여자가 살아나 왕비 하료를 괴롭히기 시작한 것이다.

찾아라. 그 아이. 그 년은 죽었다. 아이의 피와 탯줄의 흔적이 있었다면 그 년에게서 나왔다면 반드시 찾아라! 찾아야 한다.

왕비 하료는 왕비가의 믿을만한 일족을 불러들였다. 우복의 부하였던 흑천 서위에게 연통해야 했다. 그 일을 알고 있을 것이다. 하료 자신이 보냈던 자객들은 그 일 직후 다 죽였다. 오직 이 일을 알고 있던 사람은 바로 우복 그 사람뿐이다. 그 우복의 명령을 받았던 흑천 서위만이 이 일에 대해서 조금이라도 알 수 있을 것이다. 흑천 서위는 열도 남행 중이었다. 밀지를 보냈다.

하료는 안다−

본능적으로 죽어가던 선화가 아이를 살리려 했을 것이다. 어미는 그런 것이다. 당시 시신을 찾지 못했다. 선화의 시신이 적어도 열수 어디에서든 나와야 했었다. 시동과 시녀들 그리고 그 호위 무사의 시신들은 나왔는데 그 년. 그 행수의 시신만 물에 떠오르지 않았다. 그것이 내내 마음에 걸렸었다. 그런데 이제 떠오른다. 그 시신이. 그 사연들이 다시 떠오른다. 그 아이가 살아 있을 수 있다. 아니 살아 있다는 본능적인 직감이 왕비 하료를 불안하게 했다.

봄날의 향—

꽃을 피우는 나무들이 많다. 산사로 향한 거리에는 밤꽃과 벚꽃… 갖가지 봄꽃들이 활짝 피어 여심을 흔들어 놓는다. 그 아름다움과 향이 취하게 한다. 연희는 백성의 꽃구경을 가고 싶었다. 그러나 그럴 수 없었다. 열도에서는 더욱 그럴 수 없었다. 싸울아비 무사들과 일반 양민과 천민들이 붐비는 행사였다. 거기에 귀한 공주가 움직이면 그들이 자유롭게 즐길 수 없다. 꽃구경은 신궁에도 가득했다. 백성의 행사를 망칠 수는 없었다. 공주 신분으로 나설 수 없기에 신변 안전도 문제였다. 꽃구경에는 연희가 보면 안 되는 비밀도 있었다.

이번에는—

여구를 꼬드겼다. 준비하라. 아무도 몰래. 채비해라. 변복한 연회와 약속한 날. 그날은 삼월 삼짓날이었다. 음력 3월 3일. 삼 짓. 삼 짇. 삼 질. 사람 질이다. 상사(上巳), 원사(元巳), 중삼(重三), 상제(上除), 답청절(踏靑節)이다. 삼(三)의 양(陽)이 겹친다. 상사는 삼월의 첫 뱀 날이라는 의미다. 뱀이 나오는 날이다. 나비나 새도 나타나기 시작하는데, 이날 뱀을 보면 운수가 좋다. 또 흰나비를 보면 그해 상(喪)을 당하고 노랑나비를 보면 길(吉)하다고 했다. 이날 장을 담그면 맛이 좋다고 하며, 집안 수리를 한다. 아울러 농경제(農耕祭)를 행함으로써 풍년을 기원했다. 대표적인 풍속은 화전놀이이며, 사내아이들은 물이 오른 버드나무 가지를 꺾어 피리를 만들어 불거나, 여자아이들은 풀을 뜯어 각시인형을 만들어 각시놀음을 즐기기도 한다. 이 피리와 각시놀음은 이유가 있었다. 뱀을 부르는 것이다. 뱀은 곧 사내의 남근이다. 사내 성기 또한 봄날의 춘향에 흔들리는 여심을 따라 바지춤을 나서는 것이다. 남자가 꼬이는 소리를 내면 여인이 받는다. 이를 빗대어 놀리는 것이 놀이가 됐다. 성인이 된 남녀는 봄나들이에서 눈이 맞는다. 춘향에 취해 서로 얻는 것이다. 그렇게 사람을 만드는 놀이. 삼질. 삼짇날이었다.

봄날 꽃구경을 가야 하는−

이런 연유를 모르는 연희는 여구를 꼬드겨 야마다 신궁(新宮)을 나서서 그날 밤, 조상신을 모신 신사(神社)에 오르기로 했다. 그 신사(神社)에 오르는 길목에도 연희가 모르는 피리와 각시놀음이 있었다.

초롱을 밝혀 든 여인들과 여인을 찾는 사내들이 곳곳에서 서로 희희낙락거리고 있었다. 여구는 오랜만에 연희와 단둘이 있었다. 여구가 변복한 연희와 마치 짝을 이룬 것처럼 산길을 오른다. 그 뒤 저 멀리서 아무도 모르게 일단의 무리가 따르고 있었다. 호위장 여강이었다. 연희의 명을 받은 여구는 이를 완곡하게 여강에게 얘기했다. 평민으로 변복하고 백성 사이에 가려고 하는 연희를 말릴 수 없었다. 그러나 안전을 담보할 수 없으니 호위를 해야 한다. 여강은 그러마 하고 따르기로 했다. 연희는 평민들의 풍속과 생활에 대해 매우 관심이 많았다.

철없는 주군(主君)─

연희는 기뻤다. 여구와 단둘이서 산사에 오른다. 그 길에 봄 꽃들이 너무도 화창했다. 초롱불들이 길을 이어 산사로 향해 있었다. 그 길옆으로 남녀가 숲으로 들어가고 또는 나오고 있었다.

왜 그럴까—

여강 일행은 연희와 여구를 몰래 뒤따르면서 난감했다. 무사들을 본 여인들의 추파가 심했다. 노골적으로 매달리는 여인도 있었다. 삼짇날. 밤 꽃놀이에서 사람을 짓는 날이다. 뱀이 나온다. 숲에서 여인을 기다리는 남자의 바지춤에서 뱀이 나온다. 그 뱀을 보는 것이 기쁜 일이다. 그날 사람을 짓는 일이니까. 그런 여인들이 여강 일행에게도 끈끈한 시선을 보내고 있었다.

민망하다—

여기저기서 교성이 들린다. 여인들의 코 맹맹한 소리. 헉헉거리는 숨찬 소리도 들렸다. 연희도 여구도 이런 일이 있을지 몰랐다. 산사로 가는 길마다 조금 으슥하다 싶으면 어김없이 들려오는 낯 뜨거운 소리. 삼짇날. 사람 짓기를 하고 있었다. 방아를 찍고 있었다. 그 소리와 봄꽃냄새가 어울리면서 여구처럼 연희도 당혹스러웠다.

돌아가자—

돌아가서 이 흥분된 가슴을 가라앉혀야 한다. 연희가 더는 길을 가지 못하고 몸을 돌렸다. 저기 앞에 노골적으로 한 무리의 여인들과 무사들이 있다. 백제 무사들이었다. 그 여인들. 옷이 다 벗겨진 채다. 싸울아비의 씨를 받기 위해 여인들과 무사들이 어울려 짝을 고르고 있는 듯 했다. 멀리에서 보기에도 하얀 속살을 다 드러내놓고 있었다. 그 사이를 차마 지나야 했다. 이제 더는 안 되겠다고 걸음을 돌리는 데 시선이 아직 그 무리에서 떠나질 못했다.

아야—

연희가 다리를 삐었다.

"괜찮습니까?"
"괜찮아."
"걸을 수 있습니까?"
"아니 못 걷겠어. 못 걸어!"

이 기회였다. 연희는 당차게 못 걸어 해버렸다. 그러면… 가마를 불러올 수도 없었다.

이걸 어쩌나?

여구가 고심하는 그 순간 연희가 시선을 들어 여구에게 눈을
맞췄다.

"뭐해?"
"예?"
"업어!"

이런 제길. 오늘 같은 날 밤길에 다 큰 처녀를 업게 생겼다.
민망한 시선이야 무시하면 그만. 그 먼 거리를 가야 한다니…
신궁까지 업고 갈 일이 막막했다. 다행인 것은 연희가 작은 것
이다. 연희를 앉혀 업었다. 그런데 연희가 업히는 그 순간 닿았
다. 넓은 여구의 등에 연희의 소담한 젖가슴이 닿았고 허리를
감는 연희의 두 다리 감촉이 이어졌다. 아무 생각이 나지 않았
다. 무거운지 가벼운지. 연희 또한 그랬다. 이 느낌. 넓은 등판
에 기대는 이 느낌이 좋았다. 여구의 등은 따뜻했다. 다 품은
것 같았다. 여구의 목을 꽉 잡았다. 아까 숲에서 보았던 그 사
람들처럼 연희는 여구를, 그 뒤태를 꽉 붙잡았다.

조금 천천히 가—

빨리 가지마. 네 등에 더 있고 싶단 말이야. 이런 얘기였다. 흔들리는 것이 싫어서가 아니라. 더 느끼고 싶어서 이 시간이 지나는 것이 싫어서 연희는 천천히 가라고 했다. 그리고 여구의 땀 냄새를 진하게 느끼기 시작한다. 여구는 연희를 가뿐히 업고 산길을 내려간다. 그 걸음에 여심이 계속 출렁이고 있었다.

여강은 호위 무사 하나를 보내 가마를 준비하게 했다. 빠르게 움직여야 했다. 연희의 부상도, 혼자 연희를 업고 산에서 내려와야 하는 여구도 걱정이었다. 산길을 오르는 무사들이 희롱이라도 걸면 큰일이었다. 그렇게 사람 짓는 삼짇날. 연희는 흔들렸다.

大 커다란
三 삼을
合 합하면
六 육이고
生 만들면
七 일곱이고
八 여덟이며
九 아홉이다

七 일곱이고

현녀가 죽었다. 새로운 흑천의 주인이 된 우복은 현녀가 죽기 직전, 현녀로부터 이제 곧 절대무왕이 등장할 것이라는 유언을 들었다. 현녀는 광명천을 찾고자 했지만 열도 그 어느 곳에서도 찾지 못했다고 했다. 흑천이 보관해오다 도둑맞은 그 비기(秘記)를 찾는 것은 이제 우복에게 맡겼다. 우복은 설거에게 밀명을 주어 흑천 서위를 열도로 향하게 했다. 현녀를 통해 또 대천관 신녀와 근자부의 사연도 들었다. 그들은 반드시 절대무왕의 시대를 열려고 할 것이다. 그러나 흑천의 입장은 달랐다. 흑천은 그 절대자가 등장하면 곧 무너진다. 내해(內海)를 통일할 절대왕권이 등장한다면 그 이후 흑천의 입지는 사라질 것이다. 흑천이 천하를 통일하지 않는 한 그 절대자가 등장하게 해서는 안 된다. 이것이 우복에게 내려진 현녀의 유훈이었다.

흑천이 얻지 못한다면 없애라—

기억을 잃은 여인. 우아를 깨우기 위한 노력이 시작되었다. 우아는 백제 대천관 신녀에게 맡겼다. 이 일은 이제 비류왕과 설거 그리고 설거를 통해 그 일을 전해 들은 왕비 하료가 알게 되었다. 왕비 하료의 사람들이 긴밀히 움직였다. 그 움직임을 살피는 사람도 있었다. 바로 비류왕 여호기의 밀명을 받은 사람들이었다. 비류왕은 하료가 선화의 일에 관련되어 있음을 직감했다. 그리고 은근히 설거에게 왕비에게도 보고하게 하고, 왕비 주변의 동태를 살피게 했다. 설거가 왕비 하료에게 보고하고 그 처소를 나오자마자 사람들이 부산해졌다. 왕비 하료의 사가(私家)로 사람들이 은밀히 오갔다. 그 뒤를 밟게 했다.

왕비도 알고 있다—

비류왕은 묵혔던 의심을 꺼낸다. 왕비 하료. 능히 선화를 죽일 수 있다. 죽은 우복은 이미 오래전 선화의 일과 하료에 대해

뭔가 연관이 있음을 암시하곤 했다. 우복은 끝내 말하지 않았다. 하료와 무슨 일이 있었던 것이 틀림없었다. 정보에 의하면 하료는 우복을 하미와 함께 내실 은밀한 곳으로 불러 밤새워 얘기를 나눴다고 했다. 그런 일들이. 또 하료가 우복에 대해서 그리 적대 감정을 갖지 않는 점에서. 하료가 선화에게 한 일을 우복이 어느 정도 눈치를 챘거나 알고 있었으리라 추측하게 했다. 당시 한성백제의 모든 정보는 우복을 통하고 있었다. 우복이 모르는 한성백제의 일은 없었을 것이다. 선화의 일. 어쩌면 하료와… 그래서 우복이 더는 밝혀내지 못했는지도 모른다. 그렇게 생각되기 시작하자 비류왕 여호기는 또다시 하료가 한없이 미워졌다.

비류왕의 노쇠. 비류왕은 근자에 자꾸 힘이 빠졌다. 태자를 옹립한 이후 자신의 식단에 음모가 끼일지 모른다고 긴장했던 비류왕이었다. 근자부로부터 독초와 약재에 관해 어느 정도는 배웠던 비류왕 여호기였다.

하지만 궁내의 모든 일을 관장하는 왕비의 뜻에는 다른 방도가 있었다. 왕(王)은 후사(後事)가 결정되어 있으면 언제든지 죽을 준비가 되어 있다는 뜻이다. 특히, 왕비 하료 같은 여인이 궁을 장악하고 있을 때는 더욱 그러했다. 왕비 하료는 이미 비류왕을 위해 손을 쓰고 있었다. 그 비밀은 입맛이었다. 비류왕의 입맛이 변한 것이다.

짠 입맛-

하료는 특별히 주문했다. 입맛을 더하라. 입맛을 더 느끼게 해라. 강하게. 좀 더 강하게. 왕비가 대대로 내려오는 비밀 중의 하나는 소금 활용법이다. 짜지 않은 소금. 그 소금이다. 역대 임금 중에 왕비족을 범하려 할 때 기미(氣味)에 잡히지 않는 소금이 임금을 돌변하게 했다. 조급하고 화를 잘 내고, 뒷머리가 뻣뻣해지고 뒷골을 붙잡고 쓰러지면 이때 반신불수가 되거나 뇌의 혈관이 터져 중병 환자가 된다. 그러다가 끝내 죽이기도 했다. 자신이 알지 못하는 사이, 명이 줄어들고 있었던 것이다.

은수저를 피한다-

궁에서는 은수저를 사용했다. 은이 황이나 독과 반응하면 검은색의 황화은으로 변하게 된다. 음식물에 비상이나 웅황의 성분인 황이 들어 있으면 은수저 색깔이 변한다. 궁궐 수라간에서 임금에게 올리는 음식은 반드시 기미 궁녀가 은수저를 넣어 보았다. 궁녀가 미리 먹어보고 검사를 마친 후에야 왕께서 드시도록 했다. 그 은수저도 소금은 구별할 수 없었다. 더욱이 구운 소금은 현저하게 짠맛이 떨어진다. 그 짠맛이 떨어진 소금을 짠 맛으로. 입맛이 변한 왕에게 계속 먹게 하면 왕의 소금 섭취량 이 달라진다. 현격히 늘어난다. 입맛이 아주 짠 맛에 길든다. 소 금을 과다 섭취하게 된 왕은 언제든지 죽일 수 있다. 흥분만 시 키면… 그것을 왕비 하료는 알고 있었다. 왕비족의 교육은 무서 웠다. 왕비로서 혼인이 결정 나면 그들만의 교육이 시작된다. 그때 반드시 이러한 교육을 마친 후에야 왕에게 보내졌다. 왕과 왕비족은 그런 관계다. 특히, 여호기처럼 궁내에 세력이 없는 자가 왕이 되면 왕비족의 절대 보호를 받아야만 된다. 대가는 왕권이었다. 주고받는 것. 그 관계가 틀어질 때를 왕비족에서는 대비했다. 그렇게 하료는 언제든지 비류왕 여호기를 잡을 준비 가 되어 있는 왕비였다. 자신이 언제고 수렴 청정할 수 있었다.

감히 여호기가-

이미 왕비 하료는 설거를 통해 청천벽력 같은 소리를 들었다. 그 년. 그 대해부가의 행수. 열도의 여왕이었다는 그 선화가 살 아 있을지도 모른다는 것. 선화의 물건을 확인하게 된 비류왕은 그 년과 그 년의 아이를 찾으려 한다. 그렇게 되뇌고 또 되뇌었 다. 왕비 하료는 설거에게 선화와 그녀의 아이가 살아 있는지 죽었는지를 확인할 것을 명한 동시에 따로 또 흑천 서위에게도 밀지를 내렸다.

열도를 다 뒤져라-

한성백제에서 왕비의 명령을 흑천 서위가 다시 받았다. 마아라는 백제인을 열도에서도 찾아라. 열도 야마다가 숨겨 두고 있을지도 모른다. 그것은 밀지였다. 선화와 그 아이를 찾는 왕비가의 살수들이 활동을 시작한다.

둘 다 잡았다-

병이사립(兵以詐立). 병법 기본은 속임수다. 속고 속이는 건 기본, 누가 얼마나 완벽하게 상대를 속이는가에 달렸다. 전술에서 가장 많이 사용되는 것이 속임수다. 병법의 가장 많은 묘수도 바로 속임수를 바탕으로 하고 있다. 설거의 계책은 실로 간교했다. 왕비에게 따로 설거가 보고 하는 것을 비류왕이 다 알도록 했다. 일부러 비류왕 여호기가 시킨 측면도 있다. 설거가 비류왕에게 말하기를 왕비 하료가 이 일에 관심이 많다 하였다. 그러자 비류왕이 그러면 적당히 정보를 흘려보라고 했다. 그 말을 듣고 설거는 흉계를 꾸민 것이다. 왕비 하료는 비류왕 여호기의 생각과 설거의 의도대로 움직였다. 왕비 하료는 긴장했다. 그래서 알아보려 했다. 그녀가 상관없는 일이라면 애초 움직일 이유가 없었다. 관심을 그렇게 크게 둘 이유도 없었다. 왕비 하료가 지나치게 긴장하며 허둥댄다는 것을 설거를 통해 다시 듣게 된 비류왕은 선화의 실종이 왕비 하료와 관계있음으로 확신한다. 왕비에 의해 죽었다. 왕비한테 당한 것이다. 그러면서 비류왕 여호기는 왕비 하료를 끝없이 증오하게 된다. 이렇듯 설거는 비류왕과 왕비를 갈라놓는 데 성공했다.

낳았다―

대천관 신녀는 알게 되었다. 비류왕의 명으로 신궁에 데리고 온 우아를 치료하던 중, 떠드는 무의식의 소리. 그 소리를 듣고 알 수 있었다.

"아가… 아가… 칠성님. 우리 아기. 아기가 살았어요. 아직 살아 있어요. 저 속에서도 살아 있었어요. 아들이네. 아드님이시네."

왕비가 죽인 선화. 아기가 살아 있었다는 것을 우아의 무의식을 통해 알게 되었다. 대천관 신녀는 우아에게 미몽 약초를 먹이고 깊은 잠에 들게 했다. 일종의 최면이었다. 그 최면이 우아의 무의식 속 그 긴 세월을 거슬러 올라가게 했다.

어디예요—

모성본능, 그리고 대천관의 의사주입의식(意思注入儀式)을 통해 우아는 무의식중에 천기령 제4 용소의 일을 아주 조금씩 기억에서 꺼내 놓았다.

천기령… 하늘의 기운… 어르신이 늦으시네… 물이 흘러요… 천둥소리처럼 큰데… 칠성단을 쌓는데… 여자… 죽었어. 아… 그 뱃속에 아기가. 아기를 꺼내야 해요. 피가 나고… 목걸이가. 잘 키울게요… 우리 아기…

그 애기들. 대천관 신녀는 놀랐다. 필시 연관이 있을 듯싶었다. 이제야 알 것 같았다. 아비 근자부가 비류왕 여호기에게 찾아가라고 한 곳. 거기는 분명히 한성백제의 천기령으로 가는 길, 고하(古下) 소도(蘇塗)… 오래된 숲 속 높은 그 아래. 소도. 그러면 천제(天祭). 칠성을 모셨을 터. 하늘에 제사를 지내는 그곳에서, 선화가 죽은 그날, 이 여인도 있었다. 이 여인네 식구들이 바로 그 천기령 인근에서 붙잡혀 노예로 팔렸다고 했다.

그 소도 사람들에게 선화의 연이 닿았다. 그리고 거기서 한 아이가 태어났다. 선화의 아기. 여호기의 아기. 그 아기는 아들이다. 분명히 아들이다. 이 비밀. 비류왕한테만 이야기해야 했다. 당분간은 그래야 했다.

낳은 아들 이름이 뭐지요-

대천관 신녀는 거기에 두 아이가 있었으리라고 생각을 못했다. 그저 낳은 아들이라고 했다. 우아가 낳은 아들의 이름을 말했다. 단지, 망아의 이름을 마아… 마아… 라고 했다. 찾았다! 대천관 신녀는 마아라는 이름의 아이가 곧 비류왕과 선화의 자식일 것으로 추측한다.

또 한 사람이 몰래 우아의 그 기억을 엿들었다. 설거였다. 비류왕의 숨겨두었던 여인이 죽고 아들이 살아 있음을 이용해 왕과 왕비의 사이를 이간질하여 왕가의 세력을 약화시키려 한 설거가 그 이야기를 들었다.

마아-

왕비는 왕비가의 자객들에게 어떻게 하든 비류왕 몰래 우아와 그 자식을 죽이라고 명령했다. 그러나 우아가 있는 곳은 신궁이었고 감시가 살벌했다.

설거 또한 이번 사건으로 비류왕의 또 다른 아들이 살아 있어서 좋을 것이 없다고 판단했다. 더구나 비류왕의 그 아들은 대천관 신녀와 흑천이 한목소리로 말했던 아이 일 수도 있었다. 하늘의 기운을 받아 태어난 아이. 경쟁자다. 왕비의 명도 들어주는 척하면서 자신의 실속도 차리기로 했다. 흑천 서위에게 그 아이, 마아를 무조건 살해할 것을 명한다.

차라리 죽여라−

너무 아파서 죽겠다. 그런 얘기를 하면서 연희는 여구를 쏘아봤다. 누가 발을 삐라고 했나? 밤길에 연희를 업고 궁으로 오는 동안 연희는 계속 아프다고 투덜댔다. 일단 고통을 멈추게 하려고 산길 중간에서 잠시 멈췄다. 그리고 발목에 곤지압법을 사용하기로 했다. 혈 자리를 찾아 우로 열다섯 번 그리고 좌로 열다섯 번 그렇게 돌렸다. 지압을 해주는데, 고래고래 산이 떠나가게 소리를 지른다.

"가만히 좀… 조용히 좀 하세요."

"살살 좀 해. 너무 아파―"

"조금만 하면 괜찮아요. 조금만…"

"아, 아파. 아파 죽겠어…"

"조금만 참으면 시원해져요. 괜찮아져요."

"어, 그래. 이젠 조금 낫네… 정말 아까처럼 아프지 않네―"

"…?"

"아이 좋아, 음… 흠―"

가마를 가지고 오던 여강 일행은 당황했다. 나무에 등불을 잠시 걸어 놓고, 나무 옆에 기댄 채 짙은 어둠 속에서 연희와 여구의 대화를 듣고 있던 일행은 잠시 멀리 물러나 있었다. 민망한 소리가 흘러나왔다.

그리고 조금 후―

다시 연희를 업은 여구가 내려왔다. 여구의 이마에는 땀방울이 굵게 맺혔다. 연희는 아픈지 안 아픈지도 잘 모른다. 아무 말이 없었다. 그저 여구 등에 딱 달라붙어 있었다. 그 모습이 여강의 마음을 쓰리게 했다.

가마를 탔다―

여구는 죽을 맛이었다. 산길을 내려온 것도 내려온 것이지만 아프다고 투덜대는 연희를 달래는 것이 더 죽을 맛이었다. 그러나 역시 손가락으로 혈 자리를 찾아 지압하고 그 고통이 한결 나아졌다. 그랬기에 잠잠해졌을 것이다. 그래서 기분이 좋았다. 싱글벙글. 곤지압법이 먹힌다. 이제 낫게 할 수 있다. 그런 생각들이 여구를 기쁘게 했다. 얼굴에 가득 기쁨이, 뿌듯함이 넘쳤다. 흐뭇한 여구를 보면서 여강은 무척 힘들어졌다. 무슨 일이 있었을까.

아까—

연희는 여구의 지압(指壓)으로 발목이 시원해졌다. 거참, 묘한 지압술이었다. 처음엔 엄청 아팠다. 한 대 패주고 싶었다. 아프고 또 아픈데… 그렇게 계속하다 보니 어느 순간 발목 아픈 것이 사라진다. 그리고 시원해졌다. 어 시원해. 저절로 그 소리가 나왔다. 좋아. 좋아. 발목이 시원해서 그렇게 코 먹은 소리를 냈다. 그러다가 생각해 보니… 그러는 사이 묘한 생각을 하게 됐다. 산길에 오르면서 보았던 그 남녀들의 교접 소리를 자신이 내고 있었던 것이다. 그 음탕한 소리. 그 생각이 발목의 고통도 다른 모든 것도 잊게 했다. 여구가 발목을 만지고 있는데 여구의 땀 냄새가 났다. 확 안아주고 싶었다. 여구를 처음 만났을 때, 자신이 약속했던 대로 입맞춤을 해준 것이 생각났다. 그래서 부끄러워졌다. 다른 사내와 여인들처럼 그렇게 하고 싶어서 더욱 부끄러워져서… 그렇게는 차마… 그러자고 하지 못하고… 다시 업히시죠 라는 여구의 말에 그저 여구의 등판에 딱 달라붙어 숨소리도 제대로 못 냈다. 심장이 쿵쾅거리는 것을 여구도 들었으리라.

그날 이후–

한동안 두 사람이 보이지 않았다. 태자 걸걸, 또한 그 삼짇날, 백제 호위 무사의 옷을 입고 꽃구경을 갔다. 열도의 아낙들은 하나같이 마음에 동했다. 밤이 새도록 하도 많은 여인을 접하고 다리가 후들거렸다. 신궁에 와서 뻗어 버렸다. 열도에 온 지 석 달. 그가 한 일은 오직 낮과 밤으로 몸을 통한 일밖에 없다. 궁녀들에게 싫증이 날 때쯤 마침 삼월 삼짇날이 된 것이다. 태자 신분도 잊고 평민의 아낙들과 숲 속에서 색다른 즐거움을 맛볼 수 있었다. 백제 무사를 기다린 여인들. 이런 별천지가 다시없을 듯 했다. 열도가 태자 걸걸은 좋았다. 야마다가 좋았다. 한성백제보다 열 배는 더 좋았다. 그런 태자에게 한성백제에서 왕비 하료가 보낸 왕비족의 무사가 당도했다.

"나는 열도가 좋다. 한성백제에 가기가 싫다."

"오시라는 것이 아닙니다."

"그럼. 됐다. 어떠시냐? 어머니께서는?"

"마아라는 사람을 찾고 있습니다. 사내라고 합니다."

"왜?"

"그 이유는 잘 모르겠습니다. 다만 한성백제 천기령에서 태어 났을 것이라 합니다."

"그래? 여기 열도의 백제인 중에 천기령에서 태어난 사람을 어찌 찾겠느냐?"

"그래도 엄명이 있으셨습니다. 다 찾아보라고 하셨습니다. 분 명히 열도에 있을 것이라 했습니다."

"그래?"

태자는 그러다가 문득 한 사람이 떠올랐다. 여강. 대해부가의 호위 무사였다. 호위장. 그자가 한성백제 출신이라고 했다.

"있다."

"예?"

"한성백제 그것도 천기령은 아니지만, 천기령 쪽으로 가는 길 그곳 출신의 무사가 있다. 나이도 비슷하겠구나. 무골이다. 보통 무사가 아니다. 그 나이에 이 야마다 제일의 무사가 아니냐. 그 호위장 가솔이 다 한성백제에서 왔다고 했다. 맞다. 그랬다."

무릎을 쳤다. 태자는 무릎을 치고 그 무사에게 마가(馬家), 즉 야마다 신궁의 말을 관리하는 마을을 살피라고 했다. 그리고 흑천 서위에게 따로 왕비 하료의 명이라고 이르게 했다.

찾아라―

흑천 서위가 한성백제의 밀지를 또 받았다. 그 이후 흑천 서위는 바빠졌다. 왕비족 무사 하나가 더 왔다. 그 무사와 흑천 서위의 일행이 누군가를 찾고 있었다. 마가(馬家). 야마다의 마가(馬家) 사람들도 감시하는 것 같았다. 마가(馬家)는 곧 고하소도 사람들이다.

"누구요?"
"마아?"
"마아라는 자는 없었습니다."

한성백제에서 온 무사들이 마아를 찾는다. 그 마아를 찾는 설거와 왕비 하료의 사람들은 한성백제 그리고 대륙, 열도를 다

뒤질 태세다. 비류왕은 왕대로, 왕비는 왕비대로 그 마아를 찾는 이유가 분명했다.

여강은 고민한다-

여구와 연희. 안 들어야 할 것을 들었다. 둘은 그날 이후 뜨악하다. 서로 얼굴을 안 본다. 그 마음들이 읽혔다. 그냥 주군과 호위의 관계가 아니다. 여강은 그래도 된다고 생각했다. 여구는 그래도 된다. 그렇게 머리로는 좋은 일이라 하면서 그럼에도 가슴이 아려왔다. 아팠다. 온몸이 두들겨 맞은 듯 몸살이라도 난 것 같아 침상에 누웠다. 그리고 앓았다. 그날 이후 삼일을 그렇게 아팠다.

병문안-

흑천 서위가 참으로 오랜만에 여강을 찾아왔다.

"많이 아픈 거냐?"
"예… 아, 아닙니다."
"몸조리 잘해라… 언젠가 내가 말해주겠지만… 아니다."
"스승님."

옷을 벗으라 했다. 흑천 서위는 흑천의 비법으로 마음의 병을 앓고 있는 여강을 돕고자 했다. 문을 닫고 둘이 나란히 정좌했다. 흑천 서위가 여강의 뒤에서 기(氣)를 모아 주었다. 백회혈(百會穴)을 시작으로 기(氣)를 불어넣어 주었다. 여강의 몸이 한결 가벼워졌다. 마음의 병을 낫게 하는 데는 흑천 서위의 기(氣) 치료가 효과적이었다. 여강이 옷을 추스르는데, 그때 흑천 서위가 뭔가를 발견한다. 목걸이였다.

"그게 무엇이냐?"
"예. 제 어미의 것입니다."
"그걸 본 적이 없었구나?"
"그동안 제 아우가 갖고 있었습니다."
"아우가?"
"예"

아우. 그 여구다. 눈빛이 매서운 아이. 흑천 서위는 여구를 떠올리자 그 아이의 건강이 생각났다. 고질병을 앓고 있었다. 옥(玉)이 몸에 좋을 터였다.

"그 아이… 고질병은 다 나았느냐?"

"예. 이제는 아주 건강해졌습니다."

"무예는 익히고 있느냐?"

"예. 야마다 무예 서고에서 각국의 무예들을 독학하고 있습니다. 가끔 제가 돌보긴 하지만 뭐든 스스로 하는 놈이라. 아직 큰 진전이 있지는 않습니다. 겨우 제 몸 하나 건사할 정도입니다."

"그래. 네가 아우와 식솔들을 보살피느라 고생이 많겠구나."

"아닙니다. 당연히 해야 할 일들입니다."

"식솔들은?"

"예. 모두 건강하게 잘 있습니다. 아시겠지만… 부족한 아이들일지라도 너무 행복합니다. 말을 보살피는 일에 우리 식솔들이 최고라고 합니다. 지난번 군마 경진대회에서 역시 신궁(新宮) 말들이 제일 나았습니다. 하나 하면 하나밖에 모르는 아이들이니 꾀를 부리지 않아 말들이 좋아집니다."

그렇게 말들도 좋아하고 아이들도 좋아한 것. 마가(馬家)의 부족한 아이들이 말을 키우고 말을 보살피면서 자신들의 부족한 것을 채우고 있었다. 말은 그 부족한 아이들을 부족하게 여기지 않았다. 먹을 것을 제시간에 주고, 꾀부리지 않고 오직 따뜻하게 보살피는 아이들. 그 사람들처럼 정직하게 말들이 성장했다. 다른 어떤 말보다 튼실해졌다. 그렇게 해서 마가(馬家)

말들은 신궁(新宮)을 대표하는 말이 되었다. 여왕의 말도 천인의 말도 차기 여왕, 신녀의 말들도 다 마가(馬家)가 보살폈다.

좋구나—

흑천 서위는 그렇게 여강을 보살폈다. 자신의 후계로 마치 자식처럼. 가끔 그런 생각이 들기도 했다. 무예를 가르치면 가르칠수록 빼어난 여강의 실력이 아비인 듯 자랑스럽고 기특했다. 여강. 흑천 서위의 무예를 가장 잘 받아들이고 배웠다.

그 아이는—

다르다. 더 나은 자질이 있다. 그러나 가르칠 수가 없다. 그 아이는 알고 있다. 고하 소도를 폐허로 만들고 자신들을 노예로 판 사람이 바로 흑천 서위라는 것을. 그 비밀을 그 아이는 지키고 있다. 여강을 보면 안다. 여강은 성미가 다소 급한 것이 흠이다. 다정(多情)도 병이다. 그런 여강이 여전히 자신을 사부로 여기고 있는 것은 그 아이가 그 비밀을 지키고 있기 때문이리라. 그 아이. 고질병만 없었다면 크게 무사로 성공했을 아이다. 그런 생각을 흑천 서위는 하고 있었다.

아까워 했다—

야마다 마상무예장에서 기마병 둘을 상대하던 두 아이. 이제 열도 중심국인 야마다에서 없어서는 안 될 기재들로 성장했다. 흑천 서위는 미래가 기대되었다. 그 아이를 맞이해야 하는 자신의 운명이 기구하다고 생각하면서도 한편으로 크게 기대를 하고 있었다.

성장해라. 더. 그리고 나를 꺾고 더 높이 날아라!

大 커다란

三 삼을

合 합하면

六 육이고

生 만들면

七 일곱이고

八 여덟이며

九 아홉이다

八 여덟이며

열매를 맺었다. 딱 그 열매였다. 기름불열매. 여구는 온 신경
을 다 써서 기름불열매를 만들어냈다. 유화과(油火果). 그리고
작은 투석기(投石機)를 만들었다. 그 투석기에 유화과(油火果)
를 올려놓고 던질 수 있도록 했다. 투석기 끝의 바가지 같은 것
을 쇠로 만들었다. 두 근 짜리를 5백보에서 7백보 사이로 날아
가게 했다. 예상했던 것보다 한 배 반이 더 나갔다. 아무리 잘
쏜 화살도 5백보는 힘들다. 화살의 사정거리를 훨씬 넘어가고
있었다.

됐다-

그 열매를 발사하기 위한 작은 투석기를 이동시키는 것도 연구해야 했다. 투석기 몸체에 수레바퀴를 달았다. 소 한 마리가 충분히 끌 수 있었다. 말 두 마리면 달리게 할 수도 있을 듯 했다. 작은 투석기를 5명이 한 조(組)가 되어서 운영해보았다. 한 명은 거리를 측정했다. 투석기는 먼저 유화과(油火果) 대신 같은 무게의 돌을 사용해 거리를 측정했다. 거리가 모자라면 투석기의 봉심(棒深)을 조금 뒤로 빼 길게 했다. 지나치면 조금 밀어 넣어 짧게 조절하도록 했다. 숙련된 자는 다섯 번 이내에서 대충 맞추었다. 아주 잘 숙련된 자는 눈대중으로 거리를 맞추었다. 돌로 거리가 조절되면 여구는 유화과(油火果)를 올려 불을 붙였다. 불을 붙여 날리면 5백보 넘는 곳에서 펑- 터지면서 불이 났다.

화과탄(火果彈)이다-

대해부는 그것을 보고 대뜸 화과탄(火果彈)이라고 했다. 불 열매 포탄. 공성(攻城) 전투(戰鬪)에서 탁월할 것이라는 생각이 들었다. 그런데 여구는 달랐다. 해전에서 놀라운 성과를 가져올 것입니다. 해전? 어떻게 저 불덩어리를 배에 올린단 말인가. 상대방에게 날리기도 전에 우리 배가 먼저 탈 텐데… 불가한 일이다. 그러나 여구가 한 말이니 그에 대한 방비도 있을 것이다. 대해부는 여구를 믿었다.

　대해부의 건강-

　환갑을 넘긴 나이가 되자 대해부는 몸이 굳기 시작했다. 그런 대해부를 위해 단복이 마가(馬家)의 집을 한 채 마련했다. 기구기술반이 만든 마가(馬家)의 그 집은 단순했다. 아궁이와 돌 판을 깐 바닥에 진흙을 발라 구들을 만들어 단정한 집을 세웠다. 그 집은 방이 두 개 있었는데… 한 방은 잠자기 위해 또 다른 방에서는 식사할 수 있도록 만들어졌다. 그 사이 마루가 있었는데 통풍이 잘되게 했다. 그 마루에서는 기구기술반이 훤히 보였다. 대해부는 거기서 머물기를 좋아했다. 한낮에도 구들 아랫목에 몸을 지지면 이마부터 시작해서 온몸에 땀이 흘렀다. 땀을 내니 몸이 훨씬 가뿐해졌다. 초로와 단복을 꼬여 내기 바둑을 두면 세상에 부러울 일이 하나 없었다. 기구기술반, 특히 여구를 감시할 수 있어서 좋았다. 여구 놈이 무엇을 하나 살피는 재미가 하루하루 좋았다. 화과탄(火果彈)은 평생 전쟁통에서 살아온 대해부가 보기엔 대단한 신무기다. 전쟁의 양상을 일시에 바꿀 수 있다. 얼마나 두렵겠는가. 하늘에서 불이 쏟아진다. 펑-

펑－ 기름불은 꺼지지도 않는다. 그 공포. 성 안은 다 타죽거나 항복하거나 그럴 것이다.

기름－

그래 기름이다. 이놈－ 찾았다. 대해부의 눈이 밝아졌다. 그 많은 기름은 어디서 구할꼬? 열매를 볶아서 기름을 짜내는 것이 얼마나 힘든데… 대해부는 초로를 불렀다. 초로로부터 공인받아야 할 물음이었다. 단복은 그저 여구 편일 테니까. 연희와 여강도 불렀다.

"문제는 기름이다."

"예?"

"저 화과탄 말이다. 말은 그럴듯한데 문제가 있어. 그 기름이 얼마나 많이 필요하겠느냐? 그런데 그 기름을 짜내기 위해… 다 부질없다."

조금 전까지도 가장 흥분한 대해부였다. 그런데 갑자기 골을 내면서 기름 타령을 해댔다. 뭔가 꼬투리를 잡아 여구를 골탕먹일 심산이었다. 요즘 들어 대해부는 가끔 이런 일을 벌인다. 여구의 약점을 잡아 뭔가를 약속받고 싶은 속셈이 있는 것 같은

데 아직 여구를 한 번도 이기지 못해 그 속내를 아무도 알 수
없었다.

"초로 박사. 기름이 없으면 저 화과탄도 저 작은 투석기도 쓸
모가 없지 않으냐?"

"그야 그렇습니다."

"그런데 무슨 해전이고 나발이고…"

"그런데요?"

"그런데 라니… 기름 없는 화과탄을 어떻게 만드느냐는 말이
다. 여구 그놈 오라고 해!"

대해부가 좋은 꼬투리 잡았다고 희희낙락하자 연희가 나섰다.
골질은 연희가 한 수 위였다. 대뜸 대해부에게 대든다.

"그놈 오기 전에 그 생각 여기 있는 사람들은 진즉 했거든
요?"

"어? 그래? 그런데도 저 일에 돈을 발라?"

"그래서 우리가 이미 졌거든요?"

"왜? 왜 져?"

"벌써 기름도 만들고 있거든요. 열도에서는 아주까리 토고마
(唐胡麻 당호마)를 재배하고, 나주벌에서는 깨도 심고… 유채꽃

도 심고, 콩기름이라고 아시나 몰라… 콩도 더 심어서 기름을 짜려고 하지요. 돼지기름과 생선기름도 섞어서 불이 잘 붙고 잘 터지면서 더 크게 번지게 하는 새로운 기름을 개발하고 있지요. 그 정도는 벌써 준비가 되고 있습니다. 아시겠어요?"

하하하. 그 웃음들. 대놓고 웃는 놈들. 대해부는 입맛을 쩝쩝 다신다. 그러면 그렇지 그러고도 남을 놈. 벌써 다 생각해서 진행하고 있다 이거지…

"그럼 보고를 해야지. 보고를. 이놈들이 인제 보니 날 가지고 놀았구나. 이놈들-"
"누가 할아버지를 가지고 놀아. 할아버지가 오라고 했잖아. 아, 그러고 보니 심심하니까 다 모이라고 핑계를 댄 거지요? 우리 할아버지. 심심하면 가끔 이러잖아- 응? 아니야?"

연희는 못 당한다. 대해부는 연희가 신이 나서 대들면 당해낼 재간이 없다.

여구 놈-

꼼꼼하다. 손재주가 많다. 아니 그림을 잘 그린다. 이것은 상

상력(想像力)이다. 없는 것을 만들고, 그렇게 보태 보고, 빼 보고 몇 번씩 실패해도 끈질기게 해본다. 그렇게 해서 기어코 만든다. 그 만든 것을 가지고 새로 개량한다. 그런 새로운 발상(發想)은 다 온고이지신(溫故而知新), 옛것에서 출발한다. 투석기가 없었는가. 있었다. 장정 혼자서 들지도 못하는 돌을 두셋이 들어 거대한 투석기에 올리고, 수십 명이 잡아당겨 발사하면 성을 무너뜨리는 투석기가 된다. 그런데 겨우 두 근이나 세 근짜리 화과탄을 일천 보를 못 날릴까. 작은 투석기가 이동과 사용에 편할 것이다. 화과탄도 자세히 보니, 자기 호형 등잔이다. 옛 단군조선 시대부터 있었다는 식물 기름을 담아 쓰던 바로 그 등잔 주둥이가 안으로 쏙 들어가 사과처럼 생긴 것뿐이다. 흙과 도자 기술이 좋은 나주벌에서 얼마든지 구워올 수 있었다. 작은 요강, 항아리 같은 것을 무기로 만들었다. 그 항아리들이 이동 중에 깨질까 봐 지푸라기로 줄을 만들어 겉을 감싸니 안팎이 다 불쏘시개다.

자고 나면 새롭다—

옛 문서들. 서고를 들락거리면서 여구는 옛글에서 새로운 것을 찾아낸다. 다 거기 있다고 한다. 그리고 저놈이 연희 마음을 훔쳐가 놓고 애만 태운다. 이제 저놈을 연희에게 주어야 하는

데… 연희는 여구에게 온 정신을 다 빼앗기고 저놈, 여구는 꿈쩍도 않는다. 괘씸한 놈. 뺏기만 하고 주지를 않는다. 마음을 주면 몸도 묶어 줘야 하는 데… 이제 대해부는 백제 비류왕의 태자 걸걸에 대한 마음을 이미 오래전에 접었다. 대안을 다 세워 뒀다.

태자가-

무려 이십 명의 후비을 두었다. 한성백제를 떠나 열도 남행에서 태자 걸걸은 야마다 귀족들의 여식 이십 명의 옷을 풀었다. 열도에서의 전갈은 비류왕과 왕비 하료를 다 같이 경악하게 했다. 불과 반년도 안 되어 이십 명씩이나. 이게 무슨. 비류왕은 아찔했다. 게다가 그 이십 명 중에 대해부의 양딸이 두 명이나 된다고 했다. 대해부의 양녀. 수양딸도 둘이나 건드렸다. 아차, 싶다. 이것은 대해부의 수일 것이다. 분명하다. 연희는 이미 물 건너갔다.

"넌 내가 싫으냐?"
"싫다고 하기보다는 힘이 들겠습니다."
"힘이 들어?"
"예. 힘들 것 같습니다."

내가 그렇게 힘이 좋아 보이나? 태자 걸걸은 위(倭) 야마다 비미호 차기 여왕 연희를 만나서 물었었다. 내가 싫으냐? 왜 아직 내 품에 안기지 않는 것이냐? 그렇게 물었었다. 그런데 연희의 대답은 간명했다. 힘듭니다. 한마디로 힘들게 하지 마라. 그런 뜻 같은데 힘들 것 같습니다. 그러는 것을 보면 자신이 스무 명의 후비을 거느리고 행세를 하는 것을 비꼬는 말인 것 같기도 했다. 하긴 스무 명의 후궁을 상대하기가 그리 쉬운 일은 아니었다. 생김새와 이름을 외기도 어려웠다. 그저 몸 맞추기에 바빴다. 게다가 스무 명을 거느리려니 하루도 쉴 틈이 없었다.

대해부의 특별한 명령이 걸걸을 모시는 궁인들에게 내려져 있었다. 태자 걸걸을 사로잡아라. 양기에 좋은 각종 음식은 물론, 사향, 즉 사향노루에서 얻어 사용하는 강정제인 동시에 미혼약이며 최음제까지 열도 최고의 유혹이 스무 명의 후비에게서 펼쳐졌다. 태자 걸걸은 그렇게 바쁜 날들을 보내고 있었다. 미처 연희에게까지 손을 뻗칠 여유가 없었다. 해서 연희를 보아도 연희에게 요구할 힘이 없었다. 이것이 대해부의 꾀였다. 그리고 그 꾀는 비류왕에게 향해 있었다.

감히 이런 놈이 있나─

선화의 일로 야마다의 전통을 잘 알고 있는 비류왕으로서는 한성백제의 다른 귀족이나 왕비 하료와 달리 대해부를 이해했다. 태자 걸걸과 연희를 엮을 생각을 포기했다. 연희의 힘들 것 같다는 말은 곧 태자의 후비을 빗댄 말일 것이다. 이를 비류왕도 읽었다. 스무 여자 있는 남자에게 마음 줄 리 없다. 특히, 연희 같은 여자들. 하료나 연희처럼 왕재가 넘치는 여자들이 그 꼴을 볼 리가 없었다.

이놈은―

줘도 안 갖겠다는 것인지. 참 답답하다. 할아버지 대해부도 어머니 인화도 대충 연희의 뜻을 읽고 있었다. 백제와의 혼사는 물 건너가고 있었다. 연희는 여구밖에 없었다. 자신이 그렇게 안달인데 할아버지가 어머니가 다른 방도가 있을 리 없었다. 포기했다. 그런데 정작 중요한 여구가 꿈쩍도 안 한다. 삼짇날. 산사로 가는 길에서 그 낯부끄러운 일이 좀 있었다고 연희 보기를 마당 한구석에 있는 나무 보듯 한다. 눈 한번 맞추기 어려웠다. 야마다 최고의 미모에 차기 여왕이 이런 수모가 없다. 무슨 트집이라도 잡아야 하는데 트집도 잘 잡히지 않는다. 연희는 비록 수하지만 함부로 할 수 없는 여구에 대해 자꾸 애가 탄다.

뭔가 수를 만들어야 했다.

여구의 관심사가 하나 더 늘었다. 옛 단군조선에서는 삼베, 모직, 명주비단을 생산했다고 한다. 누에를 치기 위해 열도의 환경을 알아보고 있었다. 그런데 누에는 열도 보다는 나주벌의 금성산성의 북부 즉 한성백제와 나주벌 사이가 더 유리했다. 뽕나무 산지들이 있었다. 옛 마한의 땅에 뽕나무가 많았다. 그 질도 좋았다. 반도. 한(韓) 단군조선 시대부터 심어놓은 뽕나무가 양잠을 가능하게 했다. 문제는 비단 생산이 왕비족만의 전유물이라는 것이었다. 비단. 이것을 만드는 방법을 연구하고 있었다. 여구의 방 안에는 온갖 비단보들이 펼쳐져 있었다.

가면축전-

음력 오월이었다. 양잠은 이때가 한참이다. 뽕나무 잎이 잘 자라면 누에를 키우기 위해 보름간은 수시로 먹여야 한다. 통통 살이 찌게 해야 한다. 지금 여구는 그 일에 푹- 빠져 있었다. 그런데 연희가 오월 단오에 가면축전을 마가(馬家)에도 하자고 한다. 작목기술반과 함께 열도의 뽕나무와 누에치기를 해보려던 여구는 난감해진다.

"가면축전이라니까?"

연희는 이번에는 미리 알아 놨다. 가면… 잔치. 열도에서는 음력 오월오일 단옷날에도 머리를 감고 과부들이 들판에서 남자를 기다린다. 이는 신라의 풍습이 전해진 것이다. 특히, 야마다는 신라계가 많았다. 그래서 단오 때 과부들과 씨를 받을 대상이 없는 여인들을 위해 싸울아비들이 나서야 했다. 그 일을 위해 연희는 가면을 하나 잘 만들게 했다. 그리고 마가(馬家) 사람들도 가면축전에 참여하게 했다. 특별히 호위장을 제외한 호위들도 그렇게 하도록 했다. 연희 나름의 계책이 숨어 있었다. 여구도 함께 놀아야 한다. 여구를 놀게 하고… 연희는 기대에 차서 가슴이 두근거렸다.

여구 이놈―

연희는 어미를 졸랐다. 비미호 여왕의 특별한 명령이 있었다. 궁녀와 일부 호위 무사를 제외한 모든 이들에게 이번 단옷날 여가가 생겼다. 여구도 놀아야 했다. 그러나 양잠에서 누에치기는 하루라도 쉴 수가 없었다. 여구의 마음은 오직 누에로 향해 있었다.

호위장도 쉬어라—

그럴 수 없습니다. 그렇게 여강이 대답했지만, 연희는 막무가
내렸다. 여자들로 구성된 무사들의 특별 경호를 연희는 준비해
놓고 있었다. 여강은 아무리 연희가 그렇게 말해도 그럴 수 없
었다. 미행하기로 했다. 가면을 쓰고 연희를 지키기로 했다.

반드시 그 가면 쓰고 와—

이 말 안 들으면 넌 죽는다. 아무리 막 대하는 사이여도 공주
다. 차기 여왕이다. 그 명령을 안 들을 수 없었다. 여구도 연희
가 마련해놓은 가면을 쓰고 놀이에 나가야 했다. 연희는 반드시
그 가면을 쓰고 잔치에 나오라 했다. 여구는 가기 싫다고 했다.
가게 된다면 한마디도 안 할 거라고 했다. 여구는 삐쳐서 한 마
디도, 웃지도 않으리라고 했다. 그래도 좋단다. 연희는 능히 여
구가 그럴 것으로 생각했다. 그래서 내기까지 했다. 먼저 말하
는 사람이 소원 한 가지 들어주기로 했다.

단오의 낮은 화려하다. 그러나 밤은 더 화려하다. 가면을 쓴
연희는 그 가면을 발견했다. 여구에게 준 그 가면이 보였다. 그
리고 주변에 여자 호위들이 많아서 조금 더 꾀를 내야 했다.

"여기서 기다려라-"

"예."

여자 호위들을 따돌려 사방을 경계시켜 놓고 가면 쓴 여구의 뒤로 다가갔다. 그리고 이놈 했다. 가면 쓴 여구는 깜짝 놀랐다. 연희 목소리에 섬섬옥수가 허리를 채 왔기 때문이었다. 그리고 전해지는 소담한 젖가슴. 푹 덮쳐왔다. 가면 쓴 몸이 경직된다. 여전히. 연희는 생각했다. 오늘. 네놈을… 그 경직이 좋았다. 단단한 놈. 연희는 가면 쓴 여구를 잡아 이끌었다.

비가-

왔다. 밤비가 후드득- 쏟아지기 시작했다. 그 순간 연희는 호위들을 따돌렸다. 숨었다. 연희의 손에 이끌린 가면 쓴 여구는 아무 말 없이 따르고만 있었다. 지기 싫어하는 여구가 말을 할 리 없다고 연희는 생각하고 있었다. 그리고 작은 움집을 발견했다. 빈 움집. 앞에 등불을 걸어두면 사람들이 그냥 지나친다. 여전히 비가 오고 있었다. 움집 문 앞에 등을 걸어 놓자 내리는 비에 등(燈)이 금방 꺼졌다. 캄캄했다. 연희에게도 부끄러운 날이니 차라리 캄캄한 어둠이 더 좋았다.

말 안 할 거지-

그러고는 자신의 가면을 벗자마자 여구의 가면을 벗기고 입술을 붙여 버렸다. 그리고 뭔가를 쑥- 밀어 넣었다. 향기 좋은 약 냄새. 달콤하면서 그 부드럽기가 이루 말할 수 없는 연희의 혀와 함께 들어왔다. 멈칫하는 가면 쓴 여구를 연희는 꼭- 붙잡았다. 그때부터였다.

약 기운-

치밀어 올랐다. 무지하게 강한 최음제였다. 연희도 가면 쓴 여구도 그랬다. 온몸이 이미 불덩어리처럼 활활 타올랐다. 상대적으로 더 강한 것이 남자다. 더구나 무예를 익힌 남자가 이성을 잃을 것인데. 연희는 너무 오래 입안에 그 약을 두고 있었다. 벌써 인사불성이 되어 입에서 단내가 났다. 옷 하나를 저스스로 풀어버렸다. 그 옷이 열리자 눈부신 연희의 몸매가 다드러났다. 작고 단단해 보였다. 제대로 된 굴곡이 사내를 기다리고 있었다. 유혹이 지나쳐 한 마리 뱀과 같았다. 단단히 동여매기 위해 사내의 몸에 달라붙었다. 비를 맞은 여체에서는 김이나고 있었다. 사내는 단단한 근육질의 몸을 어쩌지 못한다. 망토 속 평복에서 뭔가 솟구친 것이 자꾸 걸린다. 여인은 단단한 그것을 한 손으로 잡았다. 그리고 다른 한 손으로 사내의 손을 이끌었다. 내밀한 거기가 축축하게 젖어 있었다. 사내의 그것과 여인의 그것은 더는 기다릴 수가 없었다. 최음제의 효과는 생각보다 강했다. 처음 사내를 맞이하는 여인에게도, 처음 여인을 탐하는 사내에게도, 사그라지지 않는 불길을 만들고 있었다. 캄캄한 움집에서

그렇게 아무도 몰래 했다–

해버렸다. 연희는 여구를 품었다. 그렇게 약의 효과를 빌어서 하룻밤 내내. 연희가 정신을 차리자 자신의 옷이 챙겨져 있었다. 여구는 이미 가면을 쓰고 밖에 나가서 기다리고 있었다. 연희도 가면을 쓰고 움집을 나섰다. 동이 트기 직전이었다. 막 해가 뜨고 있었다. 가슴이 뿌듯했다. 그때 호위 무사들에게 걸렸다. 다행히 옷 섶을 추스르고 움집을 나서서 있었기에 둘만의 일을 들키지는 않았다.

뭐하는 것들이냐–

연희는 호위 무사들을 다그쳤다. 어디 갔다가 이제야 나타났

느냐고, 밤새 나에게 흉한 일이라도 생겼으면 어찌할 뻔했느냐고, 다 목을 내놓을 것이냐고 호령했다. 여자 호위 무사들은 다들 죽을죄를 지었다고 했다. 그래서 이 일만은 제발 여왕님과 대해부님께는 절대 비밀로 해달라고 했다. 그래서 그러자고 했다. 단 비밀이 새나가면 자기도 어쩔 수 없다고 했다. 너희의 목숨을 다 내놓아야 하리라고 했다. 절대 그럴 일 없다고 여자 호위 무사들이 말했다. 호위 무사들이 공주를 놓친 것은 있을 수 없는 일이었기에 그녀들 스스로 입단속을 할 것이었다.

자, 이거 좀-

여구가 간절히 부탁했다. 어차피 여강은 다른 가면을 쓰고서라도 연희를 호위해야 했다. 여구는 자신의 옷을 입히고 그 위에 우스꽝스러운 망토를 두르게 한 후, 자신에게 연희가 준 가면을 씌워주었다. 휴- 잘 맞는다. 몰라보겠다. 여구가 썼는지 여강인지. 아무도 모를 일이었다. 여구는 주의를 주었다. 말을 못하는 가면이다. 말하면 안 된다. 그러면 지는 것이다. 여구는 자신의 칼을 주었다. 여강의 칼은 다른 가면을 쓴 호위에 맡겼다. 그 호위를 마치 여강처럼 꾸몄다. 그래야 눈치 빠른 연희를 속일 수 있었다. 여구는 누에를 보고 싶었다. 여강은 여구 대신이지만 연희와 즐겁게 지낼 수 있었다. 그렇게 해서 여구 대신 여구의 가면을 여강이 쓰고 나갔다.

약에 취해서 그녀가—

옷을 벗고 있었다. 자신이 그리도 사모하던 여인. 그러나 자신보다는 아우 여구를 더 사랑하는 여인. 그런데 최음제에 취해 그녀의 몸이 뜨거워지고 있었다. 사고다. 자신도 주체할 수가 없었다. 자신을 연희가 붙잡고 있었다. 참을 수 없었다. 그녀를 갖고 싶었다. 단 한 번이라도 좋았다. 단 한 순간이라도 이러고 싶었다. 꿈에 몇 번을 이랬는지 모른다. 수십 번. 그녀를 품었다. 그리고 잠에서 깨면 후회했다. 그 꿈을 지우기 위해 한밤이 다 새도록 칼을 휘둘렀다. 누구보다도 연희를 위해 목숨을 걸고 무예를 익혔다. 그런데 그 일이 생시에 벌어진 것이다. 그녀. 입에서 단내를 내며 이성을 잃었다. 처음 하는 여자가 너무 강한 약을 사용한 것이다. 여강은 그렇게 연희를 품었다. 그러고도 말 한마디 할 수가 없었다. 여구와 연희의 사랑을 아는 여강은 이게 도대체 어찌 된 일인지 모르겠다고 생각했다. 이렇게 꼬일 수 없었다.

이걸 말해야 하나 말아야 하나—

연희는 좋았다. 당분간 여구를 만나지 말아야 했다. 지난번 삼짇날 이후 얼마나 자신을 무시했는가. 마치 벌레를 보는 듯. 그랬다. 그런데 어젯밤 일은 자신이 지금 생각해 보아도 창피한 일이었다. 약이 너무 강했다. 그렇게 센 것인 줄 몰랐다.

태자 걸걸의 후비에게 물어 최고라고 해서 몰래 하나 훔쳐 써 보았다. 그런데 그리도 강할 줄이야. 여구도 그렇게 이성을 잃을 줄 몰랐다. 그러면서 얼핏 들은 것 같았다. 사랑해. 그 말을 들은 것 같았다. 말을 했는데… 연희 자신은 움집에 들어서서 여구의 입을 덮쳐 혀와 함께 최음제 환을 밀어 넣고 곧 이성을 잃었다. 본능밖에 없었다. 그래서 진짜 들었는지 환상인지 잘 모를 지경이었다. 하여간 좋았다. 온몸이 폭발해 버릴 것 같았다. 그런데 여구도 곧 그렇게 되었다. 자신의 젖가슴을 터트릴 듯 쥐었다. 자신의 허리를 부러트릴 것 같았다. 그렇게 한동안 둘은 서로의 깊은 곳을 탐했었다.

아―

연희의 처녀지는 다음 날 아침이 되어서도 멍멍했다. 그 흔적. 자신의 몸 안에 여구의 흔적이 가득하다고 연희는 생각했다. 그래서 한동안 이 느낌을 가지고만 있기로 했다. 괜히 여구를 만나면 이제 자신이 먼저 고개조차 못 들 것 같았다. 다음에 보지 뭐. 그리 생각했다. 자존심 강한 위(倭) 야마다 비미호 차기 여왕 신녀(神女)는.

大 커다란
三 삼을
合 합하면
六 육이고
生 만들면
七 일곱이고
八 여덟이며
九 아홉이다

九 아홉이다

　드디어 해냈다. 여구는 양잠의 핵심기술을 작목기술반과 함께 터득했다. 양잠. 어쩌면 잼-잼이 양잠일지도 모른다고 생각했다. 옛 단군조선은 그 누구도 흉내 내지 못할 기술을 가지고 있었다. 그것은 첫째가 하늘의 이치와 땅의 도리를 알게 된 것이다. 하늘의 이치는 곧 만물의 운행법이다. 순천(順天). 하늘의 뜻을 살피는 것이 바로 도리(道理)가 아니겠는가. 둘째로는 지암지암(持闇持闇). 잼-잼은 세상의 밝고 어두운 것을 가리라는 뜻인데. 일식과 월식, 숨은 것을 가리라는 것이다. 큰 물질을 보존하는 것이기도 하다. 이번 양잠 기술을 배우면서 잼-잼은 어쩌면 잠(蠶)이기도 할 것 같다는 생각을 여구는 했다.

　잠은 매우 중요하다—

　명주는 누에치기, 실 뽑기, 실 내리기, 명주 매기, 명주 짜기를 거쳐 비단이 된다. 누에로 만든 실이 먼저다. 그러기 위해 누에치기가 우선되어야 한다. 시기별로 5~6월의 춘잠(春蠶)·하잠(夏蠶)·추잠(秋蠶)으로 나뉜다. 뽕잎을 먹여 누에를 키우는 것이 누에치기다. 환기·습기·온도 등 정성을 들이지 않으면 병들고 잘 자라지 않는다. 누에알을 공기가 통하지 않게 해서 걸어 두어 알을 부화시킨다. 부화한 어린누에는 누에채반, 즉 잠실에 오른다. 뽕잎을 먹으며 첫잠에 빠져들어야 껍질을 벗는다. 잠에서 깬 누에는 뽕잎을 먹으며 두 잠과 석 잠에 빠져든다. 섶에 올려진 누에는 입에서 실을 내어 고치를 짓는다. 드디어 고치를 딴다. 그 뒤에 삶아서 번데기는 빼고 실을 짓는다. 실을 뽑는 실 뽑기, 실솥에 담가 올을 풀어주어 타래를 만드는 실 내리기, 풀칠하여 두루마리에 거는 명주 매기, 끝으로 베틀에 올리는 명주 짜기 절차를 거쳐야 비로소 직조(織造)가 완성된다.

　해냈다—

명주. 고도의 기술이다. 한성백제에서는 이미 서로 다른 두께의 잠사(蠶絲)로 두 겹을 한 번에 짜는 이중 명주를 생산하고 있다. 이중 명주로 옛 단군조선의 천왕과 천자 복을 만들었었다. 이미 한성백제 왕비족인 진씨가에서는 오래전부터 이를 터득하고 귀족용으로 만들어 교역하고 있었던 것이다. 그 진씨가는 반도의 한(韓) 단군조선의 후예였기 때문으로 그 기술을 극비리에 이어오고 있었다. 양잠을 이제 열도에서도 할 수 있게 된 것이다. 다만 그 기술의 깊이에서는 한성백제의 그것과는 아직 비교할 바가 아니었다. 반도의 한(韓)은 그런 의미에서 단군조선의 본거지라 할 수 있었다. 대능하와 요서, 요동에서 반도로 이어지는 단군조선은 자연의 상황을 가장 잘 이해한 나라요 문명이었다. 한(韓)은, 이 세상에서 가장 좋은 자연환경을 가지고 있었다. 대표적인 것이 양잠(養蠶)이다. 또한 약재(藥材)였다. 단군임금들께서는 알았다. 하늘의 수(水)가 내려 땅(地)의 기운(氣運)을 받아 감천(甘泉)으로 흐르는 산수(山水). 단군조선의 임금님들은 그 감천을 찾아서 백성을 이끌었다. 물, 즉 식수는 국가와 도읍의 가장 중요한 핵심이었던 것이다. 가히 신선(神仙)들이 살 곳이었다. 욕심이 없이 자연(自然) 그대로의 삶을 살기에 가장 좋은 곳이었다. 그래서 그 오래전부터 한(韓)이 있던 반도는 신선동(神仙洞)으로 불렸다. 온통 신선초요 감로수였으며 하늘의 운행이 뚜렷한 이 세상 모든 땅의 중심지였다.

더 좋아—

그지? 그렇게 연희는 오랜만에 본 여구에게 반응을 얻었다. 그날 이후 어쨌냐? 너는 어찌 생각하느냐… 그런 질문에 여구는 정말 좋아서 좋았다고 했다. 열도에서도 이제 양잠을 할 수 있는 기술이 거의 완성되었다. 다만 대량생산이 가능할지는 몰랐다. 겨우 누에가 죽지 않고 고치를 열매 맺었을 뿐이었다. 그래도 좋았다. 큰일의 시작이 너무도 잘 되었다.

실상—

여구가 더 연희를 걱정하고 있었다. 가면 속 인물이 자신이 아닌 것을 알면 어쩌나. 여강과 자신 둘 다 경을 칠 일이었다. 그 명령을 어긴 자신이야 그렇다 쳐도 형 여강에게는 용서가 없을 듯싶었다. 그런데 연희가 며칠 후에야 나타나 즐거웠다고 했다. 좋았다고 했다. 그래서 자신도 더없이 즐겁고 좋았다고 했다. 그러자 고개를 푹— 숙인 연희가 다시는 이런 말 하지 말고 예전처럼 지내자 했다. 그래서 그러자고 했다. 또 연희가 지난번 삼짇날 발목을 삔 것처럼 큰 실수를 했나 보다 했다. 하긴 소문도 그랬다. 또 연희가 말썽이었다. 넘어졌나? 여자 호위 무사들의 고생이 심했다고 했다. 호위 무사들은 다들 여구에게 더욱 공손해졌다. 여러 의미가 담긴 공손함이었다. 다른 이들도 그랬다. 특히, 대해부가 좋아했다.

네 이놈—

그렇게 좋으냐? 물으시니 그냥 좋다고 했다. 안 좋을 리 있는가. 연희도 만족했고 누에도 살렸다. 누에가 뽕을 먹는 일을 멈추면 죽을 텐데…. 단옷날 그 귀한 누에를 죽일 수는 없었다. 그 일에 푹 빠진 여구는 너무나 즐거웠다.

"무슨 일이 있었어?"
"어? 아, 아니…"
"고생이 많았겠는데?"
"어? 어… 고생은 무슨 고생…"
"하긴, 호위장이 그 정도는 당연히 해야지. 안 그래?"
"어, 그래. 그래"
"그 대신, 이건 절대 비밀이야. 알았지? 죽어도 비밀, 알았지?"

절대비밀. 여구는 그렇게 부탁했다. 그러나 여강이 그걸 부탁

해야 할 입장이었다. 여강은 그날 밤을 잊을 수가 없다. 사모했던 연희를 품었다. 그 바라고 바랐던 여인을… 자신의 여왕을 마음껏 안았다. 그러나 여강은 들었다. 연희는 여구를 품었다.

여구—

여구를 사랑한다. 여구 대신 자신의 육체만을 안은 연희는 그 기쁨을 가지고 들떠 있었다. 여구를 불렀다. 연희는 가장 행복한 여인이 되어 있었다. 이것이 여강을 힘들게 했다. 더욱이 한 번 품으니 더욱 간절해졌다. 한 번 더 품고 싶었다. 그러나 이제는 가능한 일이 아니고 또 그것이 얼마나 미안한 일인지를 너무도 잘 알기에 더욱 어려웠다. 그날 이후 여강은 말이 없어졌다. 꼭 해야 할 말 이외에는 입을 열지 않았다. 수시 때때로 무예 수련만으로 자신을 달래고 있었다.

연희가 여구와 함께 있을 때면 여강은 뜨끔했다. 말을 해야 하나 생각하면서도 연희를 역시 좋아하는 여구를 보면서 감히 입을 열 수가 없었다. 연희 또한 그럴수록 볼 면목이 없어졌다. 연희의 성질에 그날 그 일이 여구가 아닌 자신 여강이라는 것을 알게 된다면. 끔찍했다. 여강은 그런 날이 올까 두려워 더 말을 할 수가 없었다.

두려움-

   진실이 알려지는 두려움에 왕비 하료는 떨고 있었다. 강산이
두 번 바뀌고 또 바뀌고 있다. 그런데 그 일, 그 년을 죽인 그
일이 다시 살아나고 있었다. 천기령에서 있었던 그 일이 그때
그 사람들이 다시 살아나 자신을 옥죄고 있었다.

"아직도 소식이 없는가?"
"예. 아직은"
"천기령이라고 하지 않았나?"
"그 당시 천기령에는 많은 칠성단이 있었다고 합니다. 그래서
어느 마을 어느 사람들인지가 분명하지 않습니다."
"그까짓 것 하나 못 찾고…"
"더욱이 일부 유민들의 마을은 노예사냥으로 이미 벌써 타국
으로 팔렸습니다."
"대천관 신녀 아비인 근자부가 왕께 가보라고 했던 마을은?"
"그 마을 역시 이국으로 전체가 팔린 것 같습니다."

   설거의 대답에 왕비 하료는 답답해졌다. 특별한 대책이 필요
하다. 설거에게는 누구에게도 자신이 이 일에 나서고 있음을 말

하지 못하게 했다. 비류왕에게도 절대 말하지 말라고 했다. 하지만 설거는 왕께서 계속 물으신다고 했다.

"그럼. 왕께서 관심 있는 일이라 조금 관심을 보이는 것뿐이라 하고. 태자 걸걸이 때문에 열도에 관심이 많아서 그런다고 하라!"

"예. 그리하겠습니다."

설거는 그렇게 왕비 하료의 말에 대답했다. 그러나 설거는 그렇게 대답하라 명하셨다고까지 비류왕 여호기에게 보고했다. 그 말들이 비류왕 여호기에게 전해질수록 왕비 하료에 대한 분노가 더 커졌다. 왕비가의 움직임은 한성백제를 넘어 대륙백제와 열도에 이르고 있었다.

마아를 찾아라–

흑천 서위의 일행에 합류한 왕비가 무사 또한 왕비 하료의 특명을 받고 온 열도를 샅샅이 뒤지고 있었다. 혹시 살아 있을지도 모를 비류왕의 숨겨둔 여인, 선화의 아이를 찾아야 했다. 이를 야마다 비미호 여왕이나 대해부가 알아서도 안 되었다. 그러면 백제와 열도 야마다 사이에 어떤 일이 발생할지 모른다.

그런 일은 둘째 치고 대해부가 움직이면 아이를 찾는 일도 어려워지고 죽이는 것은 더 힘들어질지도 모른다. 흑천 서위는 그렇게 생각했다.

대해부는 이상했다. 태자 걸걸의 일행. 백제의 대해부가 감독관인 흑천 서위가 뭔가를 찾고 있다. 한성백제에서 온 마아. 무척 중요한 인물인 것 같은데 그 사람을 찾는 일에 몰두하고 있었다. 대해부가 넌지시 사람들을 풀어 예의주시하게 했다. 하긴 한편으로는 다행이다 싶었다. 기구기술반이나 작목기술반에서 만들고 있는 것을 백제에서 아는 것은 별로 좋은 일이 아니었다. 모르는 것이 나았다. 그런 의미에서 감독관인 흑천 서위가 다른 일에 빠진 것은 매우 다행스러운 일이었다.

"힘드냐?"
"예. 다소 힘이 듭니다."
"무엇이 너를 힘들게 하느냐?"
"…!"

그것은 말할 수 없습니다. 그렇게 침묵으로 대답했다. 한동안 다른 소국들의 백제인들을 수소문하고 돌아온 스승 흑천 서위가 여강을 만났다. 흑천 서위는 여강의 안색이 점점 예전 같지가 않음을 걱정하며 물었다. 무예 수련은 나무랄 것이 없었다. 지난번처럼 진기(眞氣)를 상하진 않은 것 같은데 심기가 매우 어지러워 보였다.

"무슨 일이 있구나? 무슨 말 못할 사정이 있어."
"죄송합니다. 사부님."
"아니다. 너는 대해부가 호위장이 아니냐. 내게 다 말할 수는 없지."
"송구합니다."
"그래. 태자님하고 연희 공주님은 어렵겠지?"

뜬금없이 물었다. 백제 태자와 연희. 어렵다. 하지만 지금 자신의 고민인 그 여인을 입에 올릴 수는 없었다. 내가 벌써 품었는데… 그럴 수도 없었다. 난처한 일이 계속 벌어질 텐데… 말꼬리를 돌려야 했다.

"사부님께서는 누구를 찾고 계십니까?"
"아, 아니다. 그저 왕실에서 한 사람을 찾는구나."
"제가 찾는데 도와 드릴까요?"
"그러겠느냐? 독촉이 심하구나…"
"누구입니까?"

"마아라는 사내…"

그러다 흑천 서위는 말문을 닫았다.

"예? 누구라 하셨습니까?"
"아, 아… 아니다."

흑천 서위는 아차 했다. 마아… 그 마아가 망아일 수도 있다고 순간 생각했다. 망아(忘我), 즉 여강(餘强). 눈앞에 있었다. 천기령으로 가는 길목. 거기 하늘 아래 높은 마을. 고하 소도다. 그 사람들이 야마다 마가(馬家)가 아닌가. 또 그 나이. 그리고 마아는 아니다. 그러나 잘 못 말한 것이라고 하면 망아도 된다. 흑천 서위는 갑자기 자신의 머리가 휑하니 비는 것을 느낀다. 자리에서 황급히 일어났다.

"가십니까?"
"그래. 가야겠다. 깜빡 잊은 것이 있구나."

그리 말하고 인사를 하는 여강을 다시 한 번 쳐다보았다. 그 목걸이가 생각났다.

"그 목걸이 잘 가지고 있느냐?"

"아, 예. 여기 있습니다."

여강이 목걸이를 꺼내자 흑천 서위는 보았다. 청옥(靑玉). 옛
단군조선 시대의 것이다. 뒤에 무엇인가 쓰여 있는 듯 했다.

"뭔가 쓰여 있지 않으냐?"

"아. 예. 이거를 해석하려고 제 아우가 그리 애를 씁니다만
그저 흔한 얘기라고만 합니다."

"글이 있느냐?"

"예."

"볼 수 있겠느냐?"

"아, 예"

흑천 서위는 보았다. 가림토 문자였다. 옛 단군조선의 금석문.
거기에 분명히 쓰여 있다. 흑천 서위는 흑천의 최고수다. 흑천
은 옛 단군조선의 일파다. 금석문에 대한 해석쯤은 할 수 있었
다. 그리고 그 내용. 익히 알고 있던 글귀다. 단동십훈(檀童十
訓). 옛 단군조선의 왕가들의 아이들에게 전해지는 교육내용이
다. 단서를 확인해보아야 한다고 생각했다.

누구도 모르게 하자―

흑천 서위는 자칫 외교 분쟁으로 이어질 수 있는 이 일을 다른 이들이 모르게 은밀히 진행하고자 했다. 여강과 헤어져 숙소에 들어온 흑천 서위는 조용히 시녀를 불렀다. 그리고 명주지(明紬紙)와 붓, 먹 그리고 벼루를 가져오라 했다. 시녀가 곧 준비해 가져왔다. 흑천 서위는 조용히 그림을 그리고 있었다. 청옥 청동환 목걸이였다. 뒤편의 글을 옆에 또 써 주었다. 은밀히 사람 하나를 불렀다. 한성백제에서 밀지를 가지고 온 사람이었다.

"알겠느냐? 이 목걸이가 청옥 청동환 목걸이가 맞는지, 이것이 찾으시려는 소서노 모태후님의 것이 맞는지, 확인해 달라고 해라. 알겠느냐?"
"예."
"그리고 이는 다른 사람에게 보여서는 안 되느니라."
"예."

엄명을 내렸다. 곧장 한성백제로 향하라 일렀다. 그러는 한편 참 기구한 운명이라고 느껴졌다. 흑천 서위는 자신이 고하 소도에서 잡아 흑천에 넘긴 여인, 즉 여구의 어미가 우아고, 그 우아 때문에 지금 마아를 찾으라는 명령이 나온 줄을 모르고 있었다. 밀지는 그런 한계를 안고 있었다. 만약 흑천 서위가 그 내용을 사전에 다 알았다면 즉시 망아, 즉 여강을 떠올렸을 것이었다. 그런데 이리도 서로 엇갈려 있었던 것이다.

운명은 어디로 향할지 모른다–

한성백제 비류왕은 깜짝 놀랐다. 목걸이가 있다고 했다. 그 목걸이, 단동십훈이 쓰여 있는 청옥 목걸이. 그림을 보니 바로 선화의 상징이다. 선화가 단 하나뿐이라고 했었다. 소서노 모태후의 목걸이다. 그 비기가 열도에 있다고 했다. 바로 찾으라 했다.

설거는 곧바로 왕비 하료에게도 알렸다. 이제 시간 싸움이었다. 비류왕이 알고 있다. 왕비 하료는 한시라도 빨리 그 목걸이를 가진 자를 죽이라 했다. 밀지가 급히 열도로 갔다.

흑천 서위는 한성백제에 목걸이 그림을 보내놓고 여강과 고하 소도에 대해 철저하게 탐문 조사하기 시작했다.

그리고 조사 결과–

흑천 서위는 우연히 여강의 목걸이를 보게 된 것을 후회한다. 그 목걸이… 안 봤더라면 더 좋았을 것을. 흑천 서위는 우아와 은구의 일을 떠올렸다. 은구를 걷어찬 것이 누구인가. 바로 자신이었다. 은구를 칼로 내려치려는 데 어미가 끼어들었다. 목숨이 붙어 있던 어미는 그 보따리와 함께 흑천으로 보내졌다. 그러나 흑천의 반도 현고의 식구들… 그 아들이 바로 여강이다. 흑천 서위는 갈등이 깊어졌다. 자신에게는 제자다. 아들 같은 제자. 그러나 원수의 아들이다. 여강은 자신을 원수로 칼을 겨눠야 하는 현고의 아들이다. 왜 그런 생각을 하지 못했을까. 정(情)을 주기 전에 이런 생각을 했어야 했는데 왜 하지 못했을까.

이상한 점도 있었다. 쌍둥이 형제라는 여강과 여구는 실은 쌍둥이인지 아닌지 헷갈리고 있었다. 더는 알아낼 수 없었다. 그 일은 초로와 단복만이 아는 것 같은데 그 둘은 입을 열 사람이 아니었다. 섣불리 알아내려다가 이쪽 의도만 들통 날 것이다. 고민이 깊어졌다.

"뭐라? 목걸이?"
"예."

"그 목걸이가 뭔데. 한성백제에 그림을 그려 보냈단 말이냐?"

"청옥 청동환 목걸이라 합니다."

"청옥 청동환?"

뭐가 그리 중요한지 흑천 서위가 저리도 똥 마려운 강아지마냥 야마다 신궁 주변을 어슬렁거린다. 한동안 열도 곳곳 백제인들을 살피더니 이제는 아예 신궁주변을 떠나지 않고 있었다.

어쩌면? 열도에 대한 하료의 생각을 읽을 수 있었다. 비류왕도 그럴지 모른다. 노회한 대해부는 백제 왕실이 열도 야마다를 직접 통치할 생각을 하고 있는지도 모른다고 생각했다. 태자가 아니면 둘째 왕자라도 연희의 짝으로 권해야 했었나? 그런데 태자 걸걸의 일에 대해서도 그리고 다른 조건에도 변화가 없었다. 그것이 내심 불안했다. 대해부는 노련하다. 뭔가 의심을 하고 있었다. 한성백제는 지금 열도 야마다와 다른 생각이 있다고 여겼다. 청옥 청동환? 그것이 단서가 될 수도 있었다.

"소서노 백제 모태후의 것이었다고 합니다."

"뭐라? 소서노?"

이게 무슨 소리인가. 대해부가 한성백제 흑천 서위 일행을 감시하고 있는 시녀에게서 그 말을 듣는다. 그리고 나서 대해부의 심중은 더욱 굳어갔다. 소서노 모태후…? 하다가 더 놀란다.

"분명히 소서노 모태후의 것이라 했느냐?"
"예. 그것을 찾는다 했습니다."

맞다. 역시 직할 통치를 원하고 있다. 소서노 모태후. 바로 야마다 건국의 비밀. 당시 내해의 지배자요, 실력자였던 소서노 모태후는 열도에 정착할 수 있도록 대해부가를 지원해주었다. 그리고 야마다와 백제가 서로 공생하고 상생하기 위한 약속 증표로 그 목걸이를 주었다. 언젠가 이 주인이 나타날 것이다. 이 비기(秘記)를 푸는 자가 야마다 여왕의 주인이며 백제 절대무왕이 될 것이다. 언젠가 그 나라는 백제와 혼인하여 백제의 천왕을 모신다. 그 비기. 그 목걸이를 한성백제에서 요구하고 있는 것이다.

문제는 그 목걸이가 없어졌다는 것이다. 열도에서는 백제인을 찾는다 했는데 실상은 목걸이다. 이는 전형적인 성동격서(聲東擊西)가 아닌가. 동쪽에서 소리 지르고 서쪽을 공격한다. 상대로 하여금 엉뚱한 곳으로 시선을 끌어놓고 전혀 다른 곳을 친다. 적의 주력을 피해 약한 곳을 공격하는 방안이기도 했다.

백제가 목걸이를 찾는다−

  대해부는 열도의 위기가 시작되고 있음을 직감했다. 열도의
위기. 대안을 마련해야 했다. 인화와 연희와 여구, 여강을 급히
불렀다.